Rīga

Rīga

SIA "LKC"

Rīga

Rīga – Latvijas galvaspilsēta, viena no vecākajām pilsētām Baltijas jūras austrumu piekrastē. Par tās dibināšanas laiku uzskata 1201. gadu. Ar to jau it kā būtu pateikts viss. Rīga vienmēr bijusi krustcelēs un pasaules vējos – pakļauta dažādām ietekmēm un norisēm, pārdzīvojusi ilgus un grūtus atkarības gadus, badu, mēri, ugunsgrēkus un kara postījumus, spiesta padoties un kalpot svešām varām, lai atkal no jauna atdzimtu un justos brīva.

Pirms vairāk nekā 800 gadiem Daugavas labajā krastā, 18 km no tās ietekas jūrā, vietā, kur Rīgas upe, apmetot loku, izveido pussalu, uz dzīvi apmetās pirmie iedzīvotāji – lībieši un latvieši. Par senlaikiem palikušas ārkārtīgi skopas ziņas, drīzāk minējumi un pētnieku pieņēmumi.

Bīskaps Alberts no Bukshēvdenu dzimtas ierindojams starp redzamākajiem politiķiem Baltijas vēsturē krusta kara laikā. Viņš dzimis ap 1165. gadu Vācijā, kādu laiku bijis domkungs Brēmenē, bet 1199. gadā iecelts par Livonijas bīskapu. Pēc iecelšanas amatā Alberts veselu gadu Vācijā, Dānijā un Gotlandē vervēja krusta karotājus un tikai 1200. gada vasarā ar lielu karaspēku 23 kuģos iebrauca Daugavā un apmetās Ikšķilē, apmēram 30 km augšpus Rīgas, kur pirmos nocietinājuma mūrus jau 1185. gadā bija cēlis bīskaps Meinhards. Tikai 1201. gadā Alberts pārcēla savu rezidenci no Ikšķiles uz Rīgu, padarīdams to par nozīmīgāko administratīvo centru Livonijā. Tradicionāli šis gads tiek uzskatīts par Rīgas dibināšanas laiku.

Albertam bija pieci brāļi, divi svaiņi un pusbrālis. Bīskaps neskopojās ar augstiem amatiem saviem radiniekiem. Ievērojamākais no brāļiem bija Hermans Bukshēvdens, Tērbatas dibinātājs un Tērbatas bīskaps no 1224. līdz 1243. gadam.

Tas bija ārkārtīgi sarežģīts, pretrunu pilns savstarpēju cīņu laiks. Ne velti bīskapu Albertu dēvē par cilvēku, kurš valdīja ar krustu un zobenu. Viņš 1202. gadā deva svētību Zobenbrāļu ordeņa dibināšanai.

Vācu nocietinājumu kopš tā pastāvēšanas centās iznīcināt vietējās ciltis. 1203. gadā Rīgai uzbruka Jersikas karalis Visvaldis ar lietuviešiem, gadu vēlāk lietuvieši ar Aizkraukles un Lielvārdes lībiešiem, tiem pa pēdām sekoja Salaspils lībiešu vadonis Ako. 1210. gadā Rīga piedzīvoja pašu bīstamāko – kuršu uzbrukumu.

Alberta bīskapa valdīšanas laikā Rīga strauji uzplauka kā tirdzniecības osta un cietoksnis. Viens no viņa pirmajiem rīkojumiem bija par mūra ēku celtniecību, jo neskaitāmie uzbrukumi un ugunsgrēki gandrīz nopostīja visu līdzšinējo koka apbūvi.

Dažu desmit gadu laikā izdevās pakļaut visu Livonijas teritoriju, izņemot Zemgali. Rīgu kā militāru atbalsta bāzi apjoza dabiski šķēršļi un īpaši celti nocietinājumi, pārvēršot to par vienu no stiprākajiem Baltijas jūras austrumu piekrastes cietokšņiem.

Viduslaiku Rīgas robežas veidoja dabisko un mākslīgo nocietinājumu sistēma. Akmens mūri sāka celt pēc 1201. gada, un 13. gadsimta vidū tas aptvēra Rīgu no visām pusēm. 14. gadsimtā pilsētas teritorija bija 28 ha liela. Šajās robežās tā nodzīvoja vairākus gadsimtus. Tagad tās teritorija ir tūkstoškārt lielāka – aizņem 30 717 hektārus.

Gadsimtiem rīdziniekus modinājuši zeltainie gaiļi baznīcu torņos. Tie pilsētniekiem vēstīja, no kurienes iegriezies vējš. Ja tas pūta no jūras, tad bija jāgaida ciemiņi.

1282. gadā Rīga pievienojās Hanzas savienībai. Kopā ar citām Livonijas pilsētām Rīga veidoja t.s.

Livonijas ceturtdaļu, kam Hanzā bija liela ietekme. Hanzas savienība 14.–15. gs. apvienoja ap 200 pilsētu, kļūdama par nozīmīgu saimniecisku, militāru un politisku spēku.

Rīga kopš dzimšanas bijusi tirgotāju un amatnieku pilsēta. Kad ostā pietauvojās tālbraucēji ar svešzemju precēm, pilsētniekiem miegu vajadzēja nolikt pagalvī un pašiem naski steigties uz ostu. Lielie kuģi Daugavā varēja ienākt tikai līdz pirmajām krācēm. Tos vajadzēja pārkraut mazākos kuģīšos, kuri devās augšup pa upi, pārkāpjot 140 krāces.

14. gadsimtā ieviesa izkrautņu spaidus, kas noteica, ka visas preces ostā jāizkrauj un jāglabā līdz tās nopērk kāds Rīgas tirgotājs. 1370. gadā aizliedza tirdzniecību viesim ar viesi, kā arī mazumtirdzniecību iebraucējiem. Kaut gan šie likumi vēlāk kļuva par traucēkli, tos atcēla tikai 1861. gadā.

Daugavas ceļš savu nozīmi zaudēja pēc Rīgas – Dinaburgas dzelzceļa izbūves 1861. gadā. Vēlāk to pagarināja līdz Vitebskai Baltkrievijā un Orlai Krievijā. Modernie transporta veidi un satiksmes ceļi kļuva par noteicošajiem. Tagad Daugavu veido spēkstaciju kaskāde, bet Rīgas osta joprojām ir viena no lielākajām un nozīmīgākajām Baltijas jūrā.

19. gadsimtā, pēc vecpilsētas atbrīvošanas no aizsargvaļņiem un nocietinājumu sistēmām, Rīga strauji attīstās un iegūst jaunus apjomus, pilsētas plānojumu un 10 ha plašu kanālmalas apstādījumu zonu, kam līdzīga ir tikai Vīnē. Kopš tiem laikiem Rīgu dēvē par dārzu un parku pilsētu.

Rīgas vēsturiskais centrs 1997. gadā tika iekļauts UNESCO pasaules mantojuma sarakstā, tostarp Vecrīgas, jūgendstila un koka apbūvju dēļ. Vecrīga ir atzīts vēstures piemineklis, kas pārdzīvojis gadu simtus, jūgendstils – viens no vispretrunīgākajiem, savulaik noniecinātiem, tad atkal atzītiem un cildinātiem arhitektūras stiliem, kas nostaigājis ērkšķainos 20. gs. ceļus, bet koka apbūve – mājīga nostalģija, kas nejaušības dēļ aizķērusies lielpilsētas steigā, augstprātībā un varenībā.

Koka Rīga ir izdzīvojusi negribēta – jau vairāk nekā pirms simts gadiem tika nolemts Rīgas centrā koka ēkas necelt. Diez vai tur būtu palikusi kāda no tām, ja Pirmais pasaules karš nebūtu apturējis straujo būvniecības uzplaukumu. Tagad koka apbūve kļuvusi par modes lietu Skandināvijā un daudzās Rietumeiropas valstīs, izdzīvošanas programma radīta arī Rīgā, pateicoties pašmāju entuziastiem.

Savā garajā mūžā Rīga izbaudījusi gan vācu un poļu, gan zviedru un krievu maizi, bijusi Zviedrijas lielākā pilsēta un Krievijas provinces industriāli attīstītākais centrs ar pirmo auto un lidmašīnu būvi, ar aizmetņiem kosmosa būvē un pirmo minifotoaparātu pasaulē. Elektriskie vilcieni un tramvaji, lauksaimniecības mašīnas, mikroautobusi un radioaparāti ir daļa no vēstures, ko Rīga atstāja padomju laikam. Tagad dzimst jauna Rīga ar skatu nākotnē un pasaulē.

1918. gada 18. novembrī Latvijas Tautas padome pasludināja Latviju par brīvu, neatkarīgu un demokrātisku valsti. Uz šo valstiskumu, kas katrai tautai ir dabiskā iespēja saglabāt sevi kā tautu, latvieši bija spiesti iet gadsimtus. Arī sirmās Rīgas mūžā tā bija likteņīga diena – pirmo reizi tā kļuva par neatkarīgas valsts galvaspilsētu.

Riga. The capital of Latvia, one of the oldest cities on the east coast of the Baltic Sea. 1201 is traditionally assumed as the year of its foundation. Riga has always been on crossroads and open to the winds of the whole world, subject to all kinds of influence and processes, survived long and hard years of dependence, famine, plague, fire and war damage, has been forced to surrender and serve foreign powers, in order to be reborn and feel free.

More than 800 years ago on the right bank of the Daugava, 18 km from its mouth into the sea, in the place where the Rīga River bends, forming a peninsula, lived the first inhabitants – Livs and Latvians.

Bishop Albert of Buxhoevden ranks among the most prominent politicians in Baltic history during the Crusade. He was born in 1165 in Germany, for some time had been a canon in Bremen, but in 1199 was appointed bishop of Livonia. After his nomination Albert spent a year in Germany, Denmark and Gotland recruiting crusaders and only in the summer of 1200 with a mighty fleet of 23 ships entered the Daugava and put up at Ikšķile, approximately 30 km upstream from Riga, where the first fortification walls had been built already in 1185 by bishop Meinardus. Only in 1201 Albert moved his residence from Ikšķile to Riga, making it the most important administrative centre in Livonia. Traditionally this year is considered the founding year of Riga.

It was an exceedingly complex period full of contradictions and mutual fights. It is not for nothing that bishop Albert is characterised as a man who governed with a cross and a sword. Local tribes tried to demolish German fortification.

During the reign of bishop Albert Riga flourished rapidly as a commercial port and a fortress. One of the first orders issued by him was to build brick and stone houses, because the numerous attacks and fires devastated almost all wooden buildings.

As a military support basis Riga was encircled by natural obstacles and specially built fortifications, rendering it one of the strongest fortresses on the east coast of the Baltic Sea.

Borders of medieval Riga were marked by a system of natural and artificial fortifications. The building of stone wall was started after 1201, and in the middle of the 13th century it completely encircled Riga. In the 14th century the territory of the city was 28 ha. The city lived several centuries within these boundaries. Now its territory is thousand times bigger, and the city occupies 30 717 ha.

In 1282 Riga joined the Hanseatic League. Together with other towns of Livonia Riga made up the so-called one fourth of Livonia, exercising great influence in Hansa. The Hanseatic League in 14th–15th centuries united about 200 towns, becoming an important economic, military and political force.

Riga has been a town of merchants and artisans since its birth. When seagoing ships with goods from distant lands got moored in the port, the city-dwellers had to forget about sleep and briskly hurry to the port. Big vessels could enter the Daugava only as far as the first rapids. Their cargo had to be loaded into smaller boats, which then went upstream, negotiating 140 rapids.

In the 14th century unloading compulsion was introduced, according to which all goods were to be unloaded in the port and stored until they were bought by a Riga merchant. In 1370 trade between guests, as well as retail for foreigners was prohibited. Although these laws later became a hindrance, they were repealed only in 1861.

The Daugava as a route lost its importance in 1861, after Riga – Dinaburga railway was built; later it was extended as far as to Vitebsk in Belarus and Orla in Russia. Modern means of transport and roads became increasingly prevailing. Now a cascade of power-stations make up the Daugava, but the port of Riga is still one of the largest and most important in the Baltic Sea.

In the 19th century after the ramparts and fortification systems around the old town were removed, Riga developed rapidly and acquired new territories, city planning and 10 ha of green areas along the banks of the Canal; only Vienna can boast a similar green zone. Since then Riga has been called a city of gardens and parks.

In 1997 the historic centre of Riga was included into the UNESCO list of world heritage, among other things, due to Old Riga, *Art Nouveau* and wooden buildings. Old Riga is a recognised historic monument, which has survived through centuries, *Art Nouveau* – one of the most contradictory, once slighted, then approved and praised architecture styles, but wooden buildings – cosy nostalgia, that has by accident been lingering in the haste, arrogance and might of the city.

Wooden Riga has survived unwanted – more than one hundred years ago a decision was made not to build wooden houses in the centre of Riga. It is doubtful whether any of them would have remained in the city centre if the World War I had not stopped the rapid boom of construction. Now wooden houses have become fashionable in Scandinavia and a number of Western European countries, a programme of survival has also been created in Riga, due to local enthusiasts.

In its long life Riga has seen German and Polish, Swedish and Russian times, has been the largest city of Sweden and industrially best-developed centre of Russian province, where the first automobiles and aircraft were built, with the first miniphoto-camera in the world. Now a new Riga looking into future and the world is being borne.

On 18 November, 1918, Latvian People's Council declared Latvia free, independent and democratic state. Towards this state, which is a natural opportunity for every nation to keep themselves as a nation, Latvians had to go through long centuries. It was also a special day in the life of old Riga, because it for the first time became the capital of an independent state.

Riga, die Hauptstadt Lettlands, ist eine der ältesten Städte an der östlichen Küste der Ostsee. Es wird angenommen, das Jahr 1201 als sein Gründungsjahr zu betrachten. Riga hat stets an Kreuzwegen und in alle Winde der Welt gestanden. Die Stadt war unterschiedlichen Einflüssen und Ereignissen ausgesetzt. Sie hat lange und schwere Jahre von Abhängigkeit, Hunger, Pest, Bränden und Verheerungen überlebt. Sie war gezwungen, Fremdherrschaften zu gehorchen und sich zu fügen, um eine Wiedergeburt erleben und sich frei fühlen zu können.

Die Urbewohner – die Liven und Letten – haben vor über 800 Jahren am rechten Ufer der Daugava (Düna) gelebt – 18 km vor ihrer Mündung ins Meer, an der Stelle, wo der Fluss Ridzene (Riege) eine Schleife macht und eine Halbinsel bildet.

Der Bischof Albert von Buxhoeveden, bremischen Geschlechts, ist zur Zeit des Kreuzzugs unter die bedeutendsten Politiker der Geschichte des Baltikums einzureihen. Er wurde um 1165 in Deutschland (Bexhövede) geboren. Albert war Domherr in Bremen, als er 1199 zum Bischof von Livland erhoben wurde. Nach seinem Amtsantritt hat Albert ein ganzes Jahr in Deutschland, Dänemark und Gotland Kreuzfahrer angeworben und erst im Sommer 1200 ein stattliches Pilgerheer auf 23 Schiffen nach der Mündung der Daugava geführt. Er hat sich in Ikšķile (Uexküll), ca. 30 km stromaufwärts gelegen, niedergelassen, wo der Bischof Meinhard von Segeberg bereits 1185 die ersten Befestigungsmauern errichtet hatte. Erst 1201 hat Albert seinen Amtssitz aus Uexküll nach Riga verlegt und hat damit Riga zum bedeutendsten Verwaltungszentrum in Livland gemacht. Traditionsgemäß wird dieses Jahr als das Gründungsjahr Rigas betrachtet. Dies war eine äußerst schwierige und widerspruchsvolle Zeit gegenseitiger Kämpfe. Nicht umsonst wird Albert als ein Mann bezeichnet, der mit Kreuz und Schwert herrschte. Die einheimischen Stämme waren bemüht, die deutschen Befestigungen zu zerstören.

Während der Herrschaft von Bischof Albert blühte Riga sehr schnell als Handelshafen und Festung auf. Eine der ersten von ihm verordneten Maßnahmen war der Bau von Steinhäusern, weil durch die unzähligen Angriffe und Brände die bisherige Holzbebauung fast zerstört worden war.

Als militärischer Stützpunkt war Riga von natürlichen Hindernissen und besonders gebauter Befestigung umgeben, wodurch die Stadt zu einer der stärksten Festungen der östlichen Küste der Ostsee umgewandelt wurde.

Die Grenzen des mittelalterlichen Riga bildete ein System von natürlichen und künstlichen Befestigungsanlagen. Der Bau der Steinmauer wurde nach 1201 begonnen. Mitte des 13. Jh. umfasste sie Riga von allen Seiten. Im 14. Jahrhundert betrug die Stadtfläche 28 ha. Diese Grenzen bestanden mehrere Jahrhunderte lang. Gegenwärtig ist das Stadtgebiet um das Tausendfache größer und nimmt eine Fläche von 30.717 ha ein. 1282 ist Riga der Hanse beigetreten. Gemeinsam mit anderen Städten Livlands bildete Riga ein Viertel von Livland, welches in der Hanse einen großen Einfluss hatte. Der Hansebund vereinigte im 14. – 15. Jh. ca. 200 Städte und wurde dadurch zu einer bedeutenden wirtschaftlichen, militärischen und politischen Kraft.

Riga war seit seiner Gründung eine Stadt der Kaufleute und Handwerker. Als im Hafen Schiffe aus fernen Ländern mit fremdländischen Waren festmachten, sollten die Städter ihre Nachtruhe vergessen und flink zum Hafen eilen. Die großen Schiffe konnten in der Daugava nur bis zu den ersten Stromschnellen einlaufen. Die Waren sollten daher dort in kleinere Schiffe verladen werden, welche sich stromaufwärts begaben und 140 Stromschnellen überwinden mussten.

Im 14. Jh. wurden Zwangsmaßnahmen für Ladeplätze eingeführt, wodurch bestimmt wurde, dass alle Waren im Hafen zu entladen und dort solange aufzubewahren sind, bis diese durch einen Rigaer Kaufmann gekauft werden. 1370 wurde der Handel für Gäste untereinander sowie der Kleinhandel durch Fremde verboten. Auch wenn sich diese Bestimmungen später als eine Behinderung erwiesen, wurden sie erst im Jahre 1861 aufgehoben.

Die Wasserstraße der Daugava entlang hatte nach dem Ausbau der Eisenbahnstrecke Riga – Daugavpils (Dünaburg), die später bis Witebsk in Weißrussland und Orjol in Russland verlängert wurde, an Bedeutung verloren. Vorherrschend wurden die modernen Verkehrsarten und -straßen. Jetzt wird die Daugava durch eine Kaskade von Wasserkraftwerken geprägt. Der Rigaer Hafen aber gilt nach wie vor als einer der größten und bedeutendsten Ostseehäfen.

Nachdem die Altstadt im 19. Jh. von der Verteidigungsmauer und den früheren Befestigungsanlagen befreit wurde, erfolgte eine schnelle Entwicklung der Stadt und Riga gewann neue Ausmaße. Die Stadtplanung schuf eine ca. 10 ha große Grünanlagenzone am Stadtkanal, die es ihresgleichen nur in Wien gibt. Seit jener Zeit wird Riga eine Stadt der Gärten und Parks genannt.

1997 wurde das historische Stadtzentrum Rigas in die UNESCO-Liste des Weltkulturerbes aufgenommen, darunter fallen auch die Bebauung der Altstadt, sowie die Jugendstil- und Holzbauten. Die Altstadt Rigas ist ein international anerkanntes Geschichtsdenkmal, das Jahrhunderte überlebt hat. Der Jugendstil ist einer der widerspruchvollsten, seinerzeit verpönten Architekturstile. Jetzt aber wird er von der Fachwelt anerkannt und gelobt. Eine Art behagliche Nostalgie aber sind die Holzbauten, die trotz der Eile, der Überheblichkeit und Mächtigkeit der Großstadt ganz zufällig noch erhalten geblieben sind. Die Holzarchitektur Rigas hat unerwünscht überlebt, weil vor über hundert Jahren beschlossen wurde, im Zentrum der Stadt keine Häuser aus Holz mehr zu bauen. Wer weiß, ob in der Stadtmitte einige von ihnen ebenso noch erhalten geblieben wären, wenn nicht durch den Ersten Weltkrieg der Aufschwung der Bautätigkeit zurückgehalten worden wäre. Gegenwärtig ist in Skandinavien sowie in vielen Ländern Westeuropas die Holzbebauung zur Modeerscheinung geworden. Ein Überlebungsprogramm ist dank einheimischen Enthusiasten auch in Riga entstanden.

In seinem langen Leben hat Riga sowohl das deutsche, polnische als auch das schwedische und russische Brot durchprobiert. Seinerzeit war Riga die größte Stadt Schwedens und das am meisten entwickelte Industriezentrum der Ostseeprovinz Russlands, mit dem ersten Automobilwerk und Flugzeugbau, mit ersten Ansätzen in der Weltraumtechnik und mit der Entwicklung der ersten Kleinstbildkamera in der Welt, *MINOX*. Jetzt entsteht ein neues, zukunfts- und weltorientiertes Riga.

Am 18. November 1918 erklärte der Lettische Volksrat Lettland zu einem freien, unabhängigen und demokratischen Staat. Die Letten waren gezwungen, viele Jahrhunderte zu gehen, um zu dieser Staatlichkeit zu gelangen, die jedem Volk das natürliche Recht gibt, sich als Volk zu bewahren. Auch im Leben des ehrwürdigen Rigas war dies ein bedeutungsvolles Ereignis – das erste Mal wurde es Hauptstadt eines unabhängigen Staates.

Riga. La capitale de la Lettonie et une de plus vieilles villes de la côte Est de la Mer Baltique. L'année 1201 est considérée comme la date de sa fondation. Riga s'est toujours trouvée au carrefour de voies et de vents du monde. A travers les siècles, la ville a été sujettes aux influences et événements divers : dures et longues années de soumission, la famine, la peste, les incendies et des guerres. Riga a du capituler et se soumettre aux autres pouvoirs pour renaître de nouveau en tant que ville libre.

Il y a plus de 800 ans, les premières tribus de lives et de lettons habitaient la rive droite de la Daugava, à 18 km de la mer, où la rivière de Riga formait une péninsule.

L'évêque Albert de la famille Buxhoevden fut l'un des politiciens les plus remarquables des croisades aux pays baltes. Le futur maître de Brême, né vers 1165 en Allemagne, fut nommé en 1199 évêque de Livonie. Une fois à ce poste, Albert recruta ses troupes de guerriers croisés en Allemagne, au Danemark et à Gotland. A l'été 1200, accompagné de 23 navires remplis de croisés, Albert arriva sur la terre lettone. Il s'installa à 30 km de l'endroit de Riga actuel – à Ikskile où l'évêque Meinhard, son prédécesseur, construisit déjà en 1185 les premières fortifications. En 1201 Albert déplaça sa résidence à Riga qui devint bientôt le centre administratif de la Livonie. L'année 1201 est depuis lors reconnue comme l'année de fondation de Riga.

L'époque était riche en complexité et en batailles. Albert fut appelé : « l'évêque qui règne avec la croix et le sabre ». Les tribus indigènes essayaient constamment de détruire les fortifications allemandes.

Sous le règne d'Albert, Riga épanouit rapidement en tant que port de commerce et ville fortifiée. Un de ses premiers ordres fut l'obligation de construire en pierre car les édifices en bois ne résistaient pas aux attaques et incendies réguliers.

Riga était protégée par des obstacles naturels ainsi que des fortifications construites et elle était la plus solide base fortifiée sur la côte Est de la Mer Baltique.

En plus des fortifications naturelles, le rempart en pierre fut construit après 1201 et, au milieu du 13ème siècle, il ceignait Riga de tous les côtés. Au milieu du 14ème siècle, la ville s'étendait sur un territoire de 28 ha et elle restait à conserva ces dimensions pendant plusieurs siècles. Aujourd'hui Riga occupe un territoire qui est plus de mille fois plus grand – 30 717 ha.

En 1282 Riga adhéra à la Ligue hanséatique. Avec d'autres villes de la région, Riga forma ainsi un ensemble nommé « le quart de la Livonie » qui posséda un rôle important au sein de la Ligue. L'union hanséatique associait près de 200 villes et elle était une force économique, militaire et politique remarquable durant les 14ème et 15ème siècles.

Riga a toujours été une ville de marchands et d'artisans. Lorsque un bateau d'un pays lointain s'amarrait au port de Riga, les rigois n'attendaient pas long temps pour aller découvrir quels biens étaient apportés par les marchands étrangers. Les grands bateaux ne pouvaient pénétrer que jusqu'aux premiers rapides de la Daugava. Les marchandises étaient ensuite rechargées dans de plus petits bateaux qui devaient ensuite surmonter encore 140 rapides avant d'atteindre Riga.

Au 14ème siècle, l'obligation de déchargement fut introduite selon laquelle tous les marchandises devaient être déchargées au port de Riga et il fallait attendre qu'elles soient achetées par des rigois. En 1370, le commerce entre visiteurs fut interdit et cette loi resta en vigueur jusqu'à 1861.

La voie de transport de la Daugava perdit son importance après la construction du chemin de fer Riga-Dinaburga en 1861 qui fut plus tard prolongé jusqu'à Vitebsk en Biélorussie et Orla en Russie. Les moyens de transport modernes et les nouvelles routes commencèrent à dominer. Maintenant le flux de la Daugava est coupé par plusieurs stations hydro-électriques mais le port de Riga est toujours parmi les plus importants de la Mer Baltique.

Après la déconstruction des remparts et des fortifications de Riga au 19ème siècle, la ville se développa rapidement. Riga bénéficia d'un nouvel aménagement, un espace vert autour du canal sur un territoire de 10 ha fut aménagée dont l'équivalent se trouve seulement à Vienne. Depuis cette époque Riga est considérée comme une ville de parcs et de jardins.

Le centre historique de Riga a été classé au patrimoine mondial de l'UNESCO. Entre autres raisons figuraient le vieux quartier de Riga, les quartiers de l'art nouveau et l'architecture en bois. Le Vieux Riga est un ensemble architectural historique ayant survécu durant plusieurs siècles. Quant à l'art nouveau de Riga, c'est un des phénomènes les plus contradictoires qui fut par le passé nié mais plus tard reconnu, voire glorifié. Les quartiers de maisons en bois sont une nostalgie romantique au milieu de l'urgence, de l'arrogance et de la modernité de la grande ville.

C'est un peu par hasard que la « Riga en bois » a survécu – il y a plus de 100 ans qu'il fut prévu d'arrêter la construction en bois. Il y a peu de chance que même une seule des maisons en bois eût résisté à la vague de construction moderne si la Première guerre mondiale ne l'avait pas arrêtée. Aujourd'hui l'architecture en bois est devenue à la mode en Scandinavie et dans de nombreux pays en Europe occidentale. Un programme de préservation de cet aspect architectural de Riga fut lancé par des enthousiastes lettons.

Durant sa longue vie, Riga entendit les langues allemande, polonaise, suédoise et russe ; elle fut la plus grande ville de la Suède et le centre le plus développé de la Russie où les premières voitures et avions furent fabriquées et le premier appareil photo miniature fut inventé. Aujourd'hui une nouvelle Riga est en train de se former, avec un regard orienté vers le futur et vers le monde entier.

Le 18 novembre 1918 la Lettonie fut proclamée état libre, indépendant et démocratique par le Conseil National. Cet établissement de la République de la Lettonie, qui fut le seul moyen de sauvegarder la nation lettone, fut gagné après une bataille de 7 siècles. Cette journée fut providentielle dans la longue vie de la vieille Riga qui devint alors pour la première fois la capitale d'un pays indépendant.

Рига. Столица Латвии, один из старейших городов на восточном побережье Балтийского моря. Годом основания Риги считается 1201 год. Рига всегда находилась на перепутье времён и народов, была подвергнута разным влияниям и веяниям, пережила долгие и тяжёлые годы зависимости, голод, чуму, пожары и разруху войн, сдавалась и подчинялась чужестранным властям, чтобы вновь возродиться и обрести свободу.

Более 800 лет назад на правом берегу реки Даугава, в 18 километрах от её устья, на месте, где речка Рига, сделав круг, образовала полуостров, проживали первые жители — ливы и латыши.

Одним из виднейших политиков Балтии времён крестовой войны является епископ Альберт из рода Буксгевденов. Он родился около 1165 года в Германии, какое-то время был членом думы Бремена, а в 1199 году его назначили епископом Ливонии. После назначения на эту должность Альберт целый год в Германии, Дании и на острове Готланд вербовал воинов -крестоносцев и только летом 1200 года с большим войском на 23 кораблях вошёл в Даугаву и остановился в Икшкиле, что примерно в 30 километрах от Риги вверх по течению. В Икшкиле уже находилась первая каменная крепость, сооружённая Мейнгардом ещё в 1185 году. Свою резиденцию в 2001 году Альберт перенёс из Икшкиле в Ригу, ставшей важнейшим административным центром Ливонии. По традиции этот год и считается годом основания Риги.

Это было чрезвычайно сложное, полное противоречий время междоусобных битв. Епископа Альберта именуют человеком, правившим при помощи креста и меча. Попытки уничтожить германский бастион постоянно предпринимали местные племена

За годы правления епископа Альберта Рига превратилась в торговый порт и крепость. Одним из первых распоряжений Альберта стал указ о строительстве каменных зданий, так как многочисленные нападения и пожары почти полностью уничтожили прежнюю деревянную застройку.

Рига была и военной базой. Естественные преграды, опоясывающие город, и специально воздвигнутые оборонительные укрепления превратили Ригу в одну из сильнейших крепостей на восточном побережье Балтийского моря.

Границы средневековой Риги определяла система естественных и искусственных укреплений. Каменную стену стали строить после 1201 года, и уже в середине 13 века она опоясывала Ригу со всех сторон. В 14 веке город раполагался на территории площадью в 28 гектаров. В этих границах Рига просуществовала на протяжении нескольких столетий. В наше время территория города увеличилась в тысячу раз и достигла 30 717 гектаров.

В 1282 году Рига присоединилась к Ганзейскому союзу. Вместе с другими городами Ливонии Рига имело большое влияние в Ганзейском союзе, объединявшем в 14-15 веках около 200 городов и превратившимся во влиятельную экономическую, военную и политическую силу.

Рига изначально была городом купцов и ремесленников. Когда в порт заходили корабли с чужестранным товаром, горожанам приходилось забывать обо сне и спешить в порт.

Большие корабли по Даугаве могли добраться лишь до первых порогов. Товар перегружался на маленькие кораблики, направлявшиеся вверх по реке, преодолевая 140 порогов. В 14 веке ввели погрузочное принуждение, определявшее, что все товары следует сгрузить в порту и хранить до тех пор, пока их не скупит какой-нибудь рижский купец. В 1370 году была запрещена торговля между приезжими, заезжим купцам также запретили заниматься розничной торговлей. Хотя эти законы и являлись помехой, отменили их только в 1861 году.

Торговый путь по Даугаве своё значение утратил с постройкой в 1861 году железной дороги Рига-Динабург, которую позже продлили до Витебска в Белоруссии и Орла в России. Определяющими становились новые пути и транспортные средства. Сегодня Даугава – это каскад электростанций, а Рижский порт по-прежнему является одним из крупнейших и значительных в регионе Балтийского моря.

Позже, когда старый город освободился от крепостных валов и систем укреплений, Рига стала стремительно развиваться, обретая новые территории, в частности, освоив 10 гектаров зоны зелёных насаждений вдоль канала. С тех пор Ригу называют городом парков и садов.

В 1997 году исторический центр Риги был включён в список мирового наследия UNESCO, благодаря Старому городу, архитектуре в стиле модерн (югендстиль) и деревянной застройке. Старая Рига – это признанный исторический памятник, переживший столетия, модерн – один из самых противоречивых стилей в архитектуре, когда-то критикуемый, а позже прославляемый, что же касается деревянной застройки, то это – ностальгия по уюту, случайно затерявшемуся среди урбанизированной суеты, высокомерия и могущества.

Деревянная Рига сохранилась наперекор судьбе – более ста лет назад было решено здания из дерева в центре Риги не строить. Наверняка деревянные дома из центра города исчезли бы, но случилась Первая мировая война, остановившая строительный подъём.

В наше время деревянное зодчество модно в Скандинавии и многих странах Западной Европы, и в Риге, благодаря местным энтузиастам, разработана программа по сохранению наследия деревянной архитектуры.

За свою долгую жизнь Рига испытала власть и немцев, и поляков, и шведов, и русских, была крупнейшим городом Швеции, а также крупнейшим индустриальным центром Российской провинции, в котором производились первые автомобили и самолёты, было положено производству первых мини-фотоаппаратов. Сегодня рождается новая Рига, её взгляд обращён на мир и в будущее.

18 ноября 1918 года Народный совет провозгласил Латвию свободным, суверенным и демократическим государством. К своей государственности, являющейся для каждого народа естественной возможностью самосохранения и развития, латыши были вынуждены идти долгие столетия. День 18 ноября 1918 года стал судьбоносным и для Риги, впервые город получил статус столицы независимого государства.

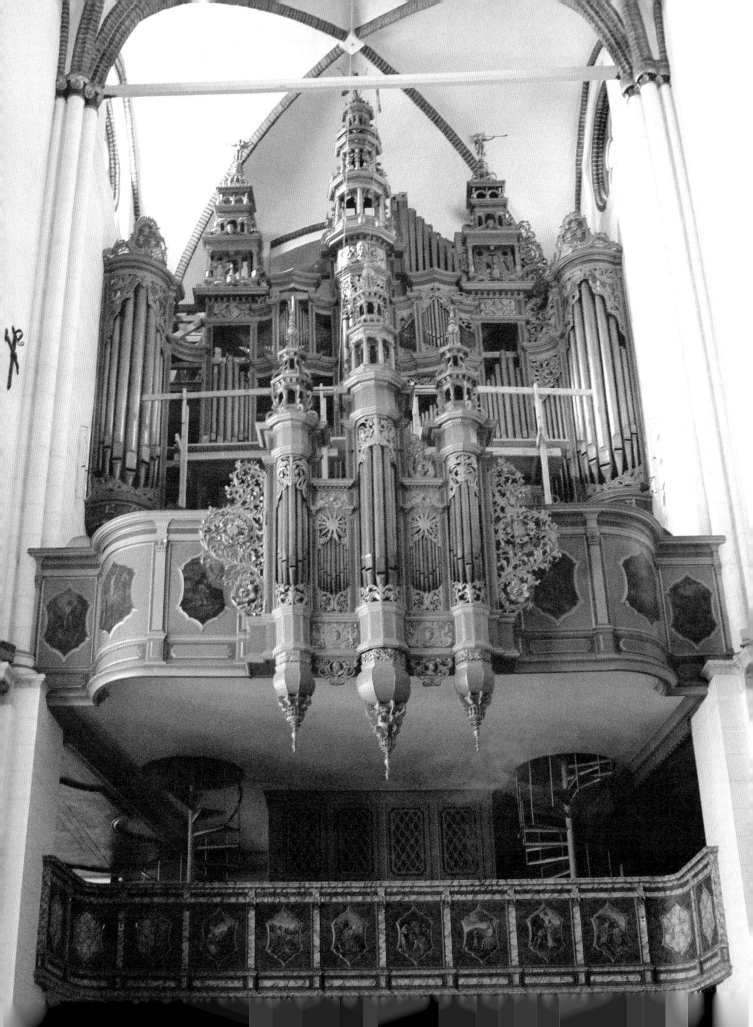

91

Rīga

ATTĒLI

17. lpp.
Rīgas ģerbonis. Ziņas par to rodamas jau 1225. gadā. Divi elementi no tā saglabājušies līdz mūsdienām: pilsētas mūris ar diviem torņiem, kas simbolizē pilsētas neatkarību, un divas sakrustotas atslēgas, kas apliecina bīskapa un Livonijas ordeņa spēku. Savukārt lauvas galva vārtos liecina par pilsētas iedzīvotāju drosmi.

18. – 20. lpp.
Rīgas panorāma. Pilsētas atpazīstamības tēls ir vecpilsētas veidols Daugavas labajā krastā, ko iezīmē daudzu baznīcu torņi, no kuriem augstākie ir Sv. Pētera baznīcai, Rīgas Domam un Sv. Jēkaba baznīcai. 2007. gadā Rīgas panorāma atzīta par Eiropas mantojuma zīmi.

23. lpp.
Vecpilsēta.

26. lpp.
Sv. Pētera baznīcas tornis ir ceļrādis ikvienam tūristam.

28. lpp.
Audēju iela. Viena no Vecrīgas ielām, kurai dots amatnieku vārds..

30. lpp.
Rīgas pils Daugavas krastā pirmo reizi celta 1330.-1348. gadā. Pēc simts gadiem bruņotā konfliktā ar Livonijas ordeni rīdzinieki to noārdīja, bet, ciešot sakāvi, bija spiesti atjaunot.

32. lpp.
Pils svētku rotā. Pēc Livonijas ordeņa likvidācijas 1561. gadā pilī izvietojās valdošo politisko varu vietējie pārstāvji: poļu burgrāfi, zviedru un krievu ģenerālgubernatori, kopš 1995. gada 12. jūnija Rīgas pils ir Latvijas Valsts prezidenta rezidence.

33. lpp.
Pils varenībai piemīt arī romantisms.

35. lpp.
Doma tornis ir viena no Vecrīgas smailēm.

36. lpp.
Gadatirgi Vecrīgā nav iedomājami bez keramikas, ko agrāk veidoja vecpilsētā, bet tagad ieved no visiem Latvijas novadiem. Katram izstrādājumam savs rokraksts, krāsa un smeķis.

37. lpp.
Zāļu diena Doma laukumā atdzima pēc Latvijas brīvvalsts atjaunotnes. Jāņi ir seni vasaras saulgriežu svētki. To pamatā ir zemes auglības un saules kults. Jāņus ievada tā sauktā Zāļu diena – 23. jūnijs jeb Līgo svētki.

38. lpp.
Rīgas Doms. 1211. gada 25. jūlijā Livonijas bīskaps Alberts iesvētīja Doma baznīcas pamatakmeni. Baznīca pilnīgi tika pabeigta 13. gs. vidū. 1522. gadā Rīgas Domā sākās tā sauktie svētbilžu grautiņi, 1574. gadā to piemeklēja jauna ugunsnelaime. 16. gs. noslēdzās ar jaunu Doma torņa smaili, kuras galā pirmo reizi uzlidoja gailis. Uz tā sekstes bija redzams dzimšanas gads – 1595. Savukārt baznīcas tornis savu pašreizējo izskatu ieguva 1776. gadā.
Tagad Rīgas Doms ir Latvijas ev. luteriskās baznīcas arhibīskapa katedrāle.

40. lpp.
Dievnams ir savdabīgs memoriāls un vēstures enciklopēdija.

Baznīcā apglabāti daudzi ievērojami pilsētnieki.

41. lpp.
Pasaulslavenās Doma ērģeles savulaik bija vienas no lielākajām pasaulē.1601. gadā ievērojamais Dancigas ērģeļu meistars Jakobs Raabs izgatavo pirmās ērģeles. Vēl šodien ikvienu priecē viņa darinātais ērģeļu prospekts. 1884. gadā tās uzbūvēja tā laika slavenākā ērģeļu izgatavotājfirma *Walcker & Co* (Vācija). Doma baznīcas ērģeļu augstums ir 19, platums – 10, bet dziļums – 14 metri, un tām ir 124 reģistri, 6718 stabules (to garums – no 13 milimetriem līdz 10 metriem), 4 manuāļi un pedālis. Lai arī šobrīd vairākās pilsētās, piemēram, Atlantiksitijā (ASV), ir daudz lielākas ērģeles nekā Rīgas Domā, nevainojamās kvalitātes un īpašā tembra dēļ Doms joprojām ir viena no pasaules spilgtāko mūziku iemīļotajām svētceļojumu vietām.

42. lpp.
Doma krusteja.

43. lpp.
Baznīcas mūros ieausti gadsimtu raksti.

47. lpp.
Sv. Pētera baznīca bijusi viduslaiku Rīgas namnieku galvenā baznīca, kas no laika gala piederējusi pilsētniekiem. Baznīcas draudzē ietilpa galvenokārt priviliģētie Lielās ģildes tirgotāji un Mazās ģildes cunftu amatnieki. Pirmoreiz Sv. Pētera baznīca minēta 1209. gadā. Tās vecākā daļa – pašreizējā vidusdaļa un 1408. – 1409. gadā uzceltā altārdaļa – atbilst gotiskajam stilam. Baznīca vairākkārt pārbūvēta un paplašināta. 1491. gadā tai uzbūvēja torni, kas vairākkārt gājis bojā, taču allaž atjaunots. 1690. gadā torni atkal atjaunoja. Tolaik 64,5 m augstā torņa smaile bija augstākā koka konstrukcija pasaulē. 1721. gadā tornī iespēra zibens, un tas nodega. Stāsta, ka Krievijas cars Pēteris I, tolaik atradies Rīgā un piedalījies dzēšanā. Otrā pasaules kara laikā, 1941. gada 29. jūnijā, artilērijas šāviņam trāpot baznīcā, tā izdega un tornis sabruka. Tornis tika atjaunots 1973. gadā. Tā augstums 123 m.

48. lpp.
Sv. Pētera baznīcas rietumu fasāde greznota ar trīs galveno ieeju portāliem, kurus 1692. gadā veidoja arhitekts R. Bindenšū sadarbībā ar mūniekmeistaru A. Pētermani.

49. lpp.
Baznīcas velves.

50. lpp.
Konventa sēta. Sākotnēji te atradās Zobenbrāļu ordeņa pils, ko sendienās sauca par Balto akmens pili. To nopostīja 1297. gadā. Uz pils atliekām pārcēla Svētā gara hospitāli, kas ieguva Svētā gara konventa sētas nosaukumu. 1220. gadā to iedibināja bīskaps Alberts visu tautību un kārtu nespējnieku pabalstīšanai. 15. gs. te atradās arī Kampenhauzena nabagmāja jeb „nevācu patversme'', kur mitinājās trūcīgas pilsētas zemāko slāņu pārstāvju atraitnes. Konventa sētā atradās arī *Pelēko māsu patversme* – slimnieku kopēju mītne un dziedniecība, kuras ēka uzcelta 1488. gadā. Nosaukums *Pelēko māsu patversme* cēlies no tur dzīvojošo mūķeņu pelēkajiem apmetņiem. Tagad kompleksā ir viesnīca, muzeji, veikali, restorāni un kafejnīcas.

51. lpp.
Sv. Jāņa baznīca. 1234. gadā bīskaps Nikolajs pili nodeva dominikāņu ordeņa mūkiem, kuri nodibināja klosteri un baznīcu

un nosauca to sv. Jāņa Kristītāja vārdā. 14. gs. sākumā baznīcu no ieejas puses paplašināja, izveidojot baltakmenī cirstu portālu. Nākamo gadsimtu pārbūves rezultātā iekštelpas tika pārsegtas ar smalkām tīkla velvēm. Jāņa baznīca bija pēdējā kulta celtne Latvijā un Baltijā, kurā iespējams izsekot vēlās gotikas arhitektūras principu ietekmi.

52. lpp.

Vecrīgas ainavai raksturīgas ir noliktavas, kas atgādina par vienu no pilsētnieku pamatnodarbēm – tirdzniecību.

53. lpp.

Sv. Jēkaba baznīca. Celta ap 1225. gadu. Ķieģeļu celtne, raksturīga pārejas periodam no romānikas uz gotiku. 80 m augsts tornis. Galvenais rietumu portāls piebūvēts 1782. gadā. 15. gs. astoņstūra smailes dienvidu skaldnē izveidots neliels kupols pulksteņa zvanam. Tagad Sv. Jēkaba baznīca ir Romas katoļu Baznīcas arhibīskapa katedrāle. Kopā ar tai blakus esošo Sv. Marijas Magdalēnas baznīcu, kūrijas un klostera ēkām veido vienu no katoļu konfesijas garīgajiem centriem Rīgā.

54. lpp.

Stāsta, ka šeit izcirsts pirmais logs Vecrīgā.

55. lpp.

Rāmera tornis, viens no senās Rīgas 30 nocietinājumu torņiem, ko atjaunoja 1987. gadā.

56. lpp.

Skārņu iela glabā daudzas vēstures liecības, kam aizsākums meklējams jau 1295. gadā, kad ielu aizņēma skārņu rinda, turpat tuvumā atradās arī pilsētas tirgus un monētu kaltuve (augšējā attēlā).

Pulvertornis. Sākotnēji saukts par Smilšu torni, jo bija viens no Rīgas nocietinājuma torņiem, kas sedza ieeju pilsētā no Lielā smilšu ceļa. Pirmo reizi minēts 1330. gadā. Diametrā tas sasniedz 14,3 m, 25,6 m augsts, mūru biezums 3 m. Tagadējo nosaukumu tornis ieguva 17. gs., kad tur sāka glabāt šaujamo pulveri. 1939. gadā tam piebūvēja ēku Kara muzeja vajadzībām (apakšējā attēlā).

57. lpp.

Jēkaba kazarmas 18. gs. 70. gados celtas karaspēka izmitināšanai, lai pilsētniekiem nevajadzētu šim nolūkam ziedot savas dzīvojamās ēkas.

58. lpp.

Ēku grupa *Trīs brāļi* ir raksturīga Hanzas savienības pilsētu dzīvojamo ēku tipam. Vecākais kompleksa nams ir senākā mūra dzīvojamā māja Rīgā (15. gs.), kas saglabājusies līdz mūsdienām. Otra ēka ietver senākās Rīgas pilsoņu mājokļu tradīcijas 17. gadsimtā. Jaunākā celtne savu tagadējo veidolu ieguva tikai 19. gadsimta beigās. Tagad kompleksā atrodas Rīgas Arhitektūras muzejs.

59. lpp.

Zviedru vārti. No 13. līdz 16. gs. pilsētas aizsargmūrī bijuši 25 vārti. Līdz mūsdienām saglabājušies tikai *Zviedru vārti* Torņu ielā 11. 1698. gadā tie tika izlauzti un izmūrēti dzīvojamā mājā, lai ierīkotu aizveramu caurbrauktuvi.

60. lpp.

Trokšņu iela, kas savu vārdu iemantoja no lustīgas uzdzīvošanas, tagad ir viena no klusākajām Vecrīgas ieliņām.

61. lpp.

Latvijas Republikas Saeima. Valsts likumdevēji sēž namā, kur

19. gs. beigās pulcējās Vidzemes bruņniecība. Tas celts 1867. gadā pēc vācu arhitekta Roberta Pfūga un latvieša Jāņa Baumaņa projekta.

62. lpp.

Rātsnams, kur mīt Rīgas dome. 1750.–1765. gadā pēc J.F.Etingera projekta uzcēla jauno Rātsnamu, un tā bija pirmā klasicisma laikmeta celtne Rīgā. Ēka stipri cieta Otrā pasaules kara laikā un 1954. gadā tās izdegušos mūrus nojauca. Rātsnama atdzimšana sākās pagājušā gadsimta 90. gados. Tagad tas ietver seno un vēsturisko, moderno un mūsdienīgo. 2004. gadā Rīgas dome atjaunotajā Rātsnamā svinēja Jurģus.

63. lpp.

2000. gadā no jauna atdzima Melngalvju nams. Tā priekšā tāpat kā sendienās stāv Rolanda statuja, kas simbolizē taisnību un brīvību.

64. lpp.

Melngalvju nams. 1416. gadā Rīgā neprecētie ārzemju tirgotāji apvienojās t.s. Melngalvju brālībā, kas izveidojās no 13. gadsimta beigās pastāvējušās Sv. Jura brālības. Nosaukumu melngalvji ieguva no sava aizbildņa – Sv. Maurīcija, kas tika attēlots kā moris. Melngalvju namam bijuši vēl divi nosaukumi – ,,Jaunais nams'' un ,,Karaļa Artūra sēta''. Pēdējo aizguva no angļu tradīcijas saukt dzīru vietas, ko rīdzinieki pārņēma no Prūsijas. Melngalvju brālība šo namu no Rīgas rātes atpirka 1712. gadā.

65. lpp.

Svētku zāle. Sendienās tur notika sanāksmes – tirgotāji un kuģinieki pie alus kausa pārsprieda darījumus vai izklaidējās ar dažādām spēlēm.

66. lpp.

Melngalvju namu rotā daudzas interesantas un nozīmīgas detaļas.

67. lpp.

Lielā ģilde jeb Tirgotāju brālības nams tagad ir koncertzāle (augšējā attēlā).

70. lpp.

Tirgoņu iela .

73. lpp.

Brīvība. Tēlnieks Kārlis Zāle par Brīvības alegoriju izvēlējies sievieti, kura virs galvas tur trīs zvaigznes, kas simbolizē trīs vēsturiskos Latvijas novadus – Kurzemi, Vidzemi un Latgali.

74. lpp.

Brīvības pieminekli ietver vairākas skulpturālas grupas un ciļņi, kas ļauj izsekot latviešu tautas vēstures gaitām.

75. lpp.

Brīvības piemineklis. Gadsimtiem ilgie tautas centieni pēc brīvības un neatkarības ietverti tēlnieka Kārļa Zāles un arhitekta Ernesta Štālberga veidotajā Brīvības pieminekli, ko atklāja 1935. gadā.

76. lpp.

Rīgas kanāla malas savieno 15 tilti un tiltiņi.

77. lpp.

Latvijas Nacionālā opera. Šo celtni dēvē arī par Rīgas Balto namu. Noraktā Pankūku bastiona vietā 1860. gadā tika ielikts pamatakmens Rīgas pilsētas teātrim, tolaik vācu teātrim, kurš jau pēc gada bija zem jumta. To projektēja Pēterburgas arhitekts Ludvigs Bonštets. Taču darbi pārtrūka pēc 1882. gada ugunsgrēka, un tos 1887. gadā pabeidza arhitekta Reinholda Šmēlinga vadībā.

Kanālmalas apstādījumos 1888. gadā uzstādīja tēlnieka Augusta Folca strūklaku ,,Nimfa'', kas kļuvusi par Nacionālās operas ansambļa neatņemamu sastāvdaļu.

78. lpp.

Džordžs Armitsteds (George Armitstead) Rīgas pilsētas galvas amatā bija no 1901. līdz 1912. gadam – laikā, kad pilsēta piedzīvoja savu krāšņāko uzplaukumu. Viņš bija viens no šīs izaugsmes veicinātājiem. Viņa laikā Rīga kļuva par jūgendstila metropoli. Piemiņekli Dž. Armitstedam un viņa kundzei 2006. gadā atklāja Lielbritānijas karaliene Elizabete II.

79. lpp.

Rīgas kanāls. 1857. gadā Rīgas birģermeistars un pilsētas nocietinājumu nojaukšanas komisijas priekšsēdētājs ar zeltkaļu meistara speciāli izgatavotu lāpstu svinīgi sāka vaļņu norakšanu. Darbi turpinājās līdz pat 1863. gadam, un agrākais pilsētas aizsardzības grāvis tika pārveidots par pilsētas kanālu. Aptuveni 10 ha teritorija, kas veido kanālmalas apstādījumus, ir viens no pilsētas zaļās rotas spilgtākajiem akcentiem.

80. lpp.

Nojaucot pilsētas aizsargvaļņus, radās mākslīgs zemes uzbērums, ko nosauca par Bastejkalnu.

81. lpp.

Hotel de Rome.

82. lpp.

Latvijas Nacionālais mākslas muzejs. 1905. gadā atklāja Rīgas Pilsētas mākslas muzeju. Ēku historisma stilā cēla baltvācu arhitekts, būvuzņēmējs un mākslas vēsturnieks Vilhelms Neimanis, kurš kļuva arī par pirmo muzeja direktoru. V. Neimaņa konsultants projekta stadijā bija vācu arhitekts Pauls Vallo, kurš pazīstams kā Berlīnes Reihstāga autors.

84. lpp.

Pavasaris Rīgā.

85. lpp.

Latvijas Mākslas akadēmija. Dibināta 1919. gadā. Par tās direktoru kļuva Pēterburgas Mākslas akadēmijas akadēmiķis, izcilais latviešu ainavists Vilhelms Purvītis. Kopš 1940. gada akadēmija atrodas bijušās komercskolas neogotiskā stila ēkā, kuru 1905. gadā uzcēla arhitekts V.L.N. Bokslafs.

86. – 87. lpp.

Latvijas Nacionālais teātris. To cēla kā otro jeb krievu teātri pēc arhitekta A. Reinberga projekta. Teātris bija veidots tā dēvētā Rīgas birģeru klasicisma garā. Ēkai bija labi iekārtota skatuve, augsts tehniskais līmenis un labi izgaismotas parādes kāpnes. Atlantu figūras pie teātra ieejas darinājis tēlnieks A. Folcs.

88. lpp.

Tikai retajam lemts skatīt pilsētu no putna lidojuma.

89. lpp.

Rīgu pamatoti dēvē par jūgendstila metropoli. Šī stila pētnieks arhitekts Jānis Krastiņš saka, ka gandrīz katrs iebraucējs lūdz parādīt Mihaila Eizenšteina namus un jūtas bezgala pārsteigts, uzzinājis, ka viņam ir tikai kādas piecpadsmit ēkas, turpretim Konstantīns Pēkšēns ir uzcēlis 250, Eižens Laube – ap 100, Jānis Alksnis – 130. No kurienes šie arhitekti, man jautā. Ar lepnumu atbildu – mūsu pašu, mācījušies mūsu Politehniskajā institūtā.

90. – 91. lpp.

M. Eizenšteina būvētajiem namiem raksturīgs piesātināts, vietām pat pārspīlēts dekoratīvisms. Vislabāk to var aplūkot Alberta, Strēlnieku un Elizabetes ielas māju fasādēs.

92. – 93. lpp.

Tēli, kas rotā Mihaila Eizenšteina namus, ir artistiski, bagāti un saistoši. Visticamāk, ka autoru uz to vedinājusi viņa dzīves lielā mīlestība – operete.

94. lpp.

Alberta ielas 12. namā pa vītņveida kāpnēm, kuras uzlokās piektajā stāvā, zem ornamentāla griestu gleznojuma atrodas latviešu mākslas vecmeistara Jaņa Rozentāla un izcilā latviešu rakstnieka Rūdolfa Blaumaņa memoriālais muzejs.

95. lpp.

Alberta iela 12. 1903. gadā tapa arhitektu Konstantīna Pēkšēna un Eižena Laubes kopdarbs – viens no skaistākajiem 20. gadsimta sākumā Rīgā uzceltajiem namiem. Šobrīd to pelnīti atzīst par nozīmīgu Alberta ielas jūgendstila apbūves daļu.

96. lpp.

Rīgas centrs ir bagāts ar nacionālā jūgendstila paraugiem. Katra detaļa ir savdabīgs mākslas darbs.

97. lpp.

E. Laubes projektētais nams Brīvības un Lāčplēša ielas stūrī.

100. lpp.

Brīvības iela – Rīgas centrālā iela.

103. lpp.

Atspulgi.

104. lpp.

Jaunā Sv. Ģertrūdes baznīca.

105. lpp.

Tērbatas iela.

106. lpp.

Berga bazārs. Celts pēc K. Pēkšēna projekta rūpniekam un sabiedriskajam darbiniekam K. Bergam. Komplekss ietver 3 – 4 stāvu īres namus Dzirnavu, Marijas un Elizabetes ielā; ēku pirmajos stāvos iebūvēti veikali, to fasādes veidotas neorenesanses formās. Berga bazāra galvenā sastāvdaļa ir kvartāla iekšpusē iebūvētā ēku grupa ar pasāžu pirmajā stāvā. Sākotnēji Berga bazārā bija iekārtots 131 veikaliņš, dažādas darbnīcas, grāmatu spiestuve, restorāns. 20. gs. beigās telpas daļēji rekonstruētas. Vienā no centrālajām ēkām atrodas *Hotel Bergs*.

107. lpp.

Strūklaka *Hotel Bergs* pagalmā veidojis mākslinieks Ilmārs Blumbergs.

108. lpp.

Jaunās arhitektūras iezīmes Rīgā.

109. lpp.

Centra nams, viena no pilsētas jaunceltnēm.

110. lpp.

Visstraujāk koka apbūve Rīgas priekšpilsētās attīstījās pēc 1812. gada pārpratuma, kad nodedzināja visas priekšpilsētas, lai Rīgu pasargātu no Napoleona karaspēka uzbrukuma. Tas bija putekļu mākonis, ko sacēla govju ganāmpulks.
Pēc dažiem gadiem priekšpilsētu apbūve tika atjaunota ar viena un divu stāvu koka celtnēm.

111. lpp.

Viens no koka arhitektūras paraugiem skatāms arī Berga bazāra kompleksā.

112. lpp.

Atjaunotā Mūrnieku iela.

113. lpp.

Vecie mūri noder arī māksliniekiem.

116. lpp.

Latvijas Zinātņu akadēmija.

117. lpp.

Jēzus baznīca. Lielākā koka celtne Latvijā.

118. lpp.

Maskavas iela – vēsturiskais ceļš uz Daugavpili un tālāk uz Maskavu.

119. lpp.

Rīgas Grebenščikova vecticībnieku draudzes lūgšanu nams. Dibināts 1760. gadā.

122. lpp.

Pārdaugava. Izcilā latviešu režisora Eduarda Smiļģa memoriālā māja, tagad arī Teātra muzejs.

123. lpp.

Latvijas bankas monētu krātuve.

124. lpp.

Viens no Rīgas arhitektūras akcentiem – ūdenstornis Alises ielā.

126. lpp.

Ķīpsala. Iepretī Vecrīgai Daugavas kreisajā krastā saglabājusies vēsturiskā apbūve ar 19.gs. raksturīgajām zvejnieku un Daugavas pārcēlāju mājām. Arhitektes Zaigas Gailes pārraudzībā top viena no Rīgas koka apbūves zonām.

128. lpp.

Arkādijas dārzs ir viens no tipiskākajiem ainavu parkiem Rīgā.

130. lpp.

Vislabāk koka arhitektūra Rīgā ir saglabājusies tās priekšpilsētās. Īpaši aktīvi zviedru laikos rīdzinieki vasaras mēdza pavadīt ārpus pilsētas mūriem. 18. gs. vidū bagātajiem pilsētniekiem modē nāca celt īpašas vasarnīcu tipa muižiņas.

131. lpp.

Hartmaņa muižiņa Kalnciema ielā ir 19. gs klasicisma ansamblis. Pirmo reizi muiža vēstures dokumentos minēta 1791. gadā, kad Āgenskalns jau varēja lepoties kā pilntiesīgs Rīgas rajons. No agrīnās vietas nosaukuma – Hāgenskalns – saglabājies arī kompleksa otrs nosaukums – Hāgena muiža.

132. lpp.

Rīgas vēsturiskais centrs 1997. gadā tika iekļauts UNESCO pasaules mantojuma sarakstā trīs lietu – Vecrīgas, jūgendstila un koka apbūvju – dēļ. Visi šie fenomeni tika vērtēti vienlīdz augsti, veidojot aizsargājamo zonu. Koka mājas sastopamas gan pilsētas centrā, gan vecajās Rīgas priekšpilsētās. Viena no zīmīgākajām tā laika lieciniecēm ir Kalnciema iela.

133. lpp.

Kalnciema ielas trīsdesmit četru koka ēku ansamblis ir unikāla 19. gs. otrās puses perioda dzīvojamo ēku kolekcija. Lielākā daļa saglabājušos koka ēku ir vēlīna klasicisma stila būvmākslas pieminekļi ar izkoptām detaļām un perfektām proporcijām, tās projektējuši pazīstami sava laika arhitekti.19. gs. otrajā pusē veidojas tagadējais Kalnciema ielas koka arhitektūras ansamblis. Abās pusēs ielai tiek celti lepni divstāvu dzīvojamie nami ar plašiem dzīvokļiem, verandām, balkoniem, terasēm un greznām kāpņu telpām. Lielākā daļa ēku novietojas gar ielu, aizmugurē – nelielāka un intīmāka rakstura pagalmu apbūve un dārzi. Pēdējos gados aizsākta aktīva namu atjaunošana.

134. lpp.

Rīgas pievārtē ir viens no vecākajiem un interesantākajiem brīvdabas muzejiem Eiropā, kas iezīmē Latvijas etnisko novadu koka arhitektūras savdabību, sadzīves tradīcijas un cilvēku dzīves veidu. Latvijas Etnogrāfisko Brīvdabas muzeju sāka veidot 1924. gadā. Tam piešķīra 70 ha platību Juglas ezera krastā. Pirmā celtne, ko uzstādīja muzejā 1928. gadā, bija Rizgu māju rija (augšējā attēlā).

135. lpp.

Latvijas novadu lauku sētas. Gadskārtu tradīcijās un tautas svētkos ikviens muzeja apmeklētājs var izdzīvot senos latviešu rituālus, piedalīties dejās un rotaļās, kā arī nobaudīt ikdienai netradicionālu maltīti. Katru gadu jūnija pirmajā sestdienā un svētdienā notiek lielais tautas amatnieku gadatirgus.

136. – 139. lpp.

Viena no interesantākajām un saistošākajām latviešu nacionālās kultūras lappusēm ir Dziesmu un deju svētki, kad Mežaparka Lielajā estrādē vienlaikus dzied vairāk nekā 10 000 balsu koris, bet Daugavas stadionā rakstus veido tikpat kupls dejotāju skaits, kur nu vēl pūtēji un koklētāji, kuri ik pēc pieciem gadiem sarodas Rīgā. Šī tradīcija, kas iegājusi otrā gadu simtā, nemazinās, bet pieaug. 2008. gada Dziesmu un deju svētkos bija viskuplākais dalībnieku skaits to vēsturē – 38 601 dziedātājs, dejotājs un muzikants. Tas ļauj cerēt, ka pēc pieciem gadiem – 2013. gadā Rīgā uz 25. dziesmu un 15. deju svētkiem ieradīsies vēl bagātāks dalībnieku skaits. Šī unikālā parādība, kas raksturīga vienīgi Baltijas tautām, ietverta UNESCO mantojumā.

136. lpp.

Svētku dalībniekus sveic Latvijas Valsts prezidents Valdis Zatlers (augšējā attēlā).

138. lpp.

Viens no Dziesmu un deju svētku virsdiriģentiem, pasaulē pazīstamā kora *Kamēr* vadītājs Māris Sirmais (augšējā attēlā).

142. lpp.

Saules akmens. Daugavas kreisā krasta panorāmu iezīmē Hansabankas augstceltne.

143. lpp.

Kuģi tāpat kā sendienās veido Rīgas ainavu.

144. lpp.

Dzelzceļa tilts nakts ietvarā.

ILLUSTRATIONS

P. 17
The emblem of Riga. It has been mentioned as early as in 1225. Two elements of it have been preserved till nowadays: the wall of the city with two towers that symbolise independence of the city, and two crossed keys, acknowledging the power of bishop and Livonian Order. But the lion's head in the gate demonstrates the valour of city dwellers.

P. 18
Panorama of Riga. The skyline of Old Riga on the right bank of the Daugava is a well-known image of the city, marked by a number of church spires. In 2007 the panorama of Riga was recognised as a token of European heritage.

P. 23
Old town.

P. 26
The spire of St. Peter's church serves as a signpost to every tourist.

P. 28
Audēju iela (Weavers' street). One of the streets of Old Riga that had been given artisans' name.

P. 30
Riga Castle on the bank of the Daugava was first built from 1330–1348. A hundred years later the citizens of Riga demolished it during an armed conflict with the Livonian Order, however, after a defeat they were forced to rebuild the castle.

P. 32
The Castle decorated in honour of holiday. After dissolution of the Livonian Order in 1561 the Castle accommodated the local representatives of political powers: Polish, Swedish and Russian governors general, since 12 June 1995 Riga Castle has been the residence of the President of Latvia.

P. 33
The magnificent Castle is also romantic.

P. 35
Dom spire is one of the steeples of Old Riga.

P. 36
Fairs in Old Riga are inconceivable without ceramics.

P. 37
Herb day in Dom Square revived after restoration of Latvian State. *Jāņi* is an ancient Midsummer festival. It is based on the cult of soil fertility and Sun. *Jāņi* is introduced by the so-called Herb day – 23 June or *Līgo* festival.

P. 38
Riga Dom. On 25 July 1211, Albert, bishop of Livonia consecrated the foundation stone of Dom church. The church was finished in the middle of the 13th century. In 1522 sacred images were torn down in Riga Dom, in 1574 a fire befell the church. The 16th century was concluded with a new spire of Dom, a rooster was mounted on the top for the first time. Its crest bore the year 1595. The spire of the church got its present appearance in 1776. Now Riga Dom is archbishop's cathedral of Evangelical Lutheran church of Latvia.

P. 40
The church is a peculiar memorial and an encyclopaedia of history. Many outstanding citizens have been buried in the church.

P. 41
The world-famous Dom organ was once among the biggest in the world. In 1601 Jacob Raab a prominent master from Danzig made the first organ. Even today everybody enjoys the organ ornamentation made by him. In 1884 the organ was built by the most famous organ building company of the time, *Walcker & Co* (Germany). Dom organ is 19 m high, 10 m wide, and 14 m deep, and it has 124 registers, 6718 pipes (their length measures from 13 millimetres to 10 metres), 4 manuals and a pedal. Due to impeccable quality and specific timbre Dom is still one of the most favourite places of pilgrimage for the most outstanding musicians.

P. 42
Cross vault of Dom.

P. 43
Patterns of centuries inscribed in the church walls.

P. 47
St. Peter's church was the main church for the house-owners in medieval Riga, it was owned by the city-dwellers. The parish consisted mainly of the privileged merchants of the Big Guild and artisans of the Small Guild. St. Peter's church was first mentioned in documents in 1209. Its oldest part, now middle part and altar built in 1408–1409, belongs to Gothic style. The church has been rebuilt and enlarged several times. Its steeple (64.5 m) was the highest wooden structure in the world. In 1721 the steeple was struck by a lightning and it burned down. Peter I the tsar of Russia, who was in Riga at that time, is told to have taken part in extinguishing the fire. During the World War II a shell destroyed the church. The spire was reconstructed in 1973. Its height is 123 m.

P. 48
The western facade of St. Peter's church is adorned with three main entrance portals, which in 1692 were built by architect R. Bindenschu and mason-master A. Pētermanis.

P. 49
Church vaults.

P. 50
Konventa sēta ("Convent courtyard"). Originally the Castle of the Order was situated here, which used to be called the White Stone Castle. It was destroyed in 1297. The Holy Spirit Convent was moved into what had remained of the castle, and the place was called Convent courtyard. In the 15th century here Kampenhauzen's asylum for non-Germans was also situated, where needy widows of the city-dwellers of lower descent lived. Convent courtyard contained the House of Grey Sisters, abode of nurses, built in 1488. The name the Convent of Grey Sisters has originated from the grey dresses the nuns used to wear. Now the complex includes a hotel, museums, shops, restaurants and cafes.

P. 51
St. John's church. In 1234 bishop Nicolas handed the bishop's castle to the monks of the Dominican Order, who founded a monastery and church, and named it after St. John the Baptist. As a result of reconstruction the interior was adorned with fine meshed vaulted ceiling. St. John's church was the last cult building in Latvia and Baltic, where the influence of principles of late Gothic style can be traced.

P. 52

Warehouses – a typical trait of Old Riga, reminding of one of the many city-dwellers' occupations – trade.

P. 53

St. Jacob's Church, built ca. 1225. A brick building, characteristic for transition period from Romanesque to Gothic style. 80 m high steeple. The main West portal added in 1782. In the 15th century a small cupola for bell was mounted on the south side of the octagonal steeple. Now St. Jacob's church is archbishop's Cathedral of Roman Catholic Church. Together with the neighbouring St. Maria Magdalene's church and buildings of nunnery it constitutes one of the spiritual centres of Catholic denomination in Rīga.

P. 54

It is said that the first window in Old Riga has been cut out here.

P. 55

Ramer Tower, one of 30 fortification towers of Old Riga, rebuilt in 1987.

P. 56

Skārņu iela (Butchers' street) keeps a lot of historic evidence, originating as early as in 1295, when a row of butcher's shops was situated in the street, not far from the city market and mint (top).

Powder Tower. Originally it was called Sand Tower, for the first time mentioned in 1330. Its diameter is 14.3 m, height – 25.6 m, the thickness of the walls is 3 m. The tower got its present name in the 17th century, when gunpowder was first kept there. In 1939 a building for needs of War Museum was added to the tower.

P. 57

Jacob's Barracks were built in 1770s for keeping the troops, so as the citizens would not have to contribute their dwelling houses for this purpose.

P. 58

A group of buildings *Trīs brāļi* ("Three Brothers") displays a type characteristic for dwelling houses of towns of the Hanseatic League. The oldest building in the complex is the oldest masonry dwelling house in Riga (15th cent.), which has been preserved till nowadays. Now the architectural ensemble houses the Museum of Architecture.

P. 59

Swedish Gate. From the 13th till 16th century there were 25 gates in the city fortification wall. Only the Swedish Gate in *Torņu iela* (Tower street) 11 has been preserved to this day. It was made in 1698 in a dwelling house in order to have a passage that could be closed.

P. 60

Trokšņu iela (Noise street) got its name from gleeful carousal, but now is one of the quietest streets in Old Rīga.

P. 61

Saeima of the Republic of Latvia. State lawmakers work in the building where knighthood of Vidzeme used to gather in late 19th century. It was built in 1867 according to a project by German architect Robert Pflug, and Latvian architect Jānis Baumanis.

P. 62

The Town Hall, the abode of the Council of Riga. The New Town Hall, designed by J. F. von Ettinger, was built in 1750–1765, and it was the first in the age of Classicism in Riga. The building was badly damaged during the World War II and in 1954 the ruins were levelled. Rebirth of the Town Hall started in 1990s. Now it includes the old and historic, modern and contemporary. In 2004 the Council of Riga moved into the reconstructed Town Hall.

P. 63

In 2000 the House of Blackheads rose from the ashes. In front of it just as in the old times stands the statue of Roland, symbolising justice and liberty.

P. 64

The House of Blackheads. In 1416 single foreign merchants in Riga founded the so-called Brotherhood of Blackheads, which was formed on the basis of St. George's Brotherhood that had existed in late 13th century. The Blackheads got the name from their guardian St. Mauritius, who was portrayed as a black moor.

P. 65

The Grand hall. In bygone days meetings took place there, and merchants and seamen discussed business matters while drinking a cup of beer or entertained themselves playing different games.

P. 66

A lot of interesting and significant details adorn the House of Blackheads.

P. 67

The Big Guild or the House of Brotherhood of merchants now is a concert-hall (top).

P. 70

Tirgoņu iela (Merchants' street).

P. 73

Brīvība (Liberty). The sculptor Kārlis Zāle chose for an allegory of Liberty a woman holding above her head three stars symbolising three historic regions of Latvia – Kurzeme, Vidzeme and Latgale.

P. 74

The Monument of Freedom is encircled by several sculptural groups and reliefs depicting the history of Latvian people.

P. 75

The Monument of Freedom. Centuries long aspirations of the people for freedom and independence have been included in the Monument of Freedom, created by sculptor Kārlis Zāle and architect Ernests Štālbergs, and unveiled in 1935.

P. 76

The banks of Riga Canal are spanned by 15 big and small bridges.

P. 77

Latvian National Opera. In the place of former ramparts, the Pancake bastion, in 1860 a foundation stone of Riga town theatre was laid, at that time a German theatre, which was built within a year. The building was designed by Ludwig Bohnshted, architect from St. Petersburg. However, work ceased after the fire of 1882, and was resumed in 1887 under the supervision of architect Reinhold Schmaeling. Amidst the greenery by the Canal in 1888 a fountain "Nymph" by sculptor August Volz was erected, which has become an inseparable part of the National Opera ensemble.

P. 78

George Armitstead was Lord Mayor of Riga city from 1901 to 1912, at the time when the city witnessed its most glorious prosperity and he was one of the facilitators of the growth. In his time Riga became a metropolis of Art Nouveau. The monument to G. Armitstead and his spouse was unveiled by Elizabeth II the Queen of Great Britain in 2006.

P. 79

Riga Canal. In 1857 the burgomaster of Riga and the chairman of the Committee for pulling down the city ramparts in a solemn ceremony with a spade specially made for the occasion by goldsmith commenced the levelling of ramparts. Work continued until 1863, and during these years the former defence moat of the city was transformed into a canal. A territory of about 10 ha, which constitutes the greenery of canal banks, is one of the most colourful accents of the green zone of the city.

P. 80

When the ramparts were levelled, an artificial hillock was formed; it was called Bastion Hill.

P. 81

Hotel de Rome.

P. 82

Latvian National Museum of Art. In 1905 the Museum of Art of Riga City was opened. The building was designed in historical style by Vilhelm Neumann, Baltic German architect, contractor and art historian, who became also the first director of the museum. V. Neumann's consultant during the period of designing was German architect Paul Wallot, known as the author of Berlin Reichstag.

P. 85

Latvian Academy of Art was founded in 1919. Its director was Vilhelms Purvītis academician of the Art Academy of St. Petersburg, the prominent Latvian landscape painter. From 1940 the Academy is located in the Neo-gothic building of the former commercial school, which was built in 1905 by architect V. L. N. Bokslaff.

P. 86–87

Latvian National Theatre was built as a Russian theatre, according to the project by architect A. Reinbergs. The Theatre was built in the so-called Classicism style of Riga burghers. The building was equipped with a technically advanced stage, and well-lighted grand staircase. Figures of Atlases at the entrance have been created by sculptor A. Volz.

P. 88

Not everybody can have an aerial view of the city.

P. 89

Riga is called the metropolis of Art Nouveau with good reason. Jānis Krastiņš, architect and researcher of this style says that almost every visitor of Riga asks him to show buildings by Mikhail Eisenstein, and is extremely surprised on learning that there are only about 15 buildings by M. Eisenstein; however, Konstantīns Pēkšēns has built 250 houses, Eižens Laube – about 100, Jānis Alksnis – 130. "Where are these architects from, they ask me. And I am proud to answer – they are our people, having studied at our Polytechnic Institute."

P. 90–91

The buildings designed by M. Eisenstein are characterised by permeated, somewhat exaggerated decorativism. It can be best observed in the facades of houses in Alberta, Strēlnieku and Elizabetes streets.

P. 92–93

The images that adorn M. Eisenstein's houses are artistic, rich and attractive. The author is most likely to have drawn inspiration from the great love of his life – musical comedy.

P. 94

Climbing the winding staircase in Alberta street 12 building to the fifth floor, beneath an ornamental ceiling painting one can find the Memorial Museum of Jānis Rozentāls, old master of Latvian art, and Rūdolfs Blaumanis, a prominent Latvian writer.

P. 95

Alberta street 12. In 1903 a joint creation by architects Konstantīns Pēkšēns and Eižens Laube came into being – one of the most beautiful houses built in Riga in early 20th century. Now it is with good reason recognised as an important part of Art Nouveau buildings in Alberta street.

P. 96

The centre of Riga abounds in examples of national Art Nouveau. Each detail is an original work of art.

P. 97

A building designed by E. Laube on the corner of Brīvības and Lāčplēša streets.

P. 100

Brīvības iela – the central street of Riga.

P. 103

Reflections.

P. 104

New St. Gertrude's church.

P. 105

Tērbatas street.

P. 106

Berg's bazaar has been built according to a project by K. Pēkšēns for K. Bergs, a manufacturer and public figure. The complex includes 3–4 storey tenement houses in Dzirnavu, Marijas and Elizabetes streets; the ground floors of the buildings housed shops, their facades made in Neo-Renaissance shapes. The main part of Berg's bazaar is a group of buildings inside the quarter with a passage on the ground floor. At first in Berg's bazaar there were about 131 shops, different workshops, printing-works, and a restaurant. In late 20th century the premises were partly reconstructed. One of the central buildings now houses *Hotel Bergs*.

P. 107

The fountain in the courtyard of *Hotel Bergs* has been designed by the artist Ilmārs Blumbergs.

P. 108

Traits of new architecture in Riga.

P. 109

Centra nams, one of the new buildings of the city.

P. 110

The most rapid development of wooden buildings on the outskirts of Riga took place after a misunderstanding in 1812, when all the suburbs were completely burned down in order to protect Riga from the attack of Napoleon's army. In fact it was a cloud of dust raised by a herd of cattle. After several years the suburbs were built anew with one- and two-storey wooden houses.

P. 111
One of the examples of wooden architecture can be viewed in the complex of Berg's bazaar.

P. 112
Renewed *Mūrnieku iela* (Bricklayers' street).

P. 113
The old walls come in handy to artists.

P. 116
Latvian Academy of Sciences.

P. 117
Jesus church. The biggest wooden building in Latvia.

P. 118
Maskavas iela (Moscow street) – historic road to Daugavpils and further to Moscow.

P. 119
Prayer house of Riga Grebenshikov's congregation of old-believers, founded in 1760.

P. 122
Pārdaugava. Memorial house of the prominent Latvian producer Eduards Smilģis, now also Theatre museum.

P. 123
Coin depository of the Bank of Latvia.

P. 124
One of the accents of Riga architecture – water tower in Alises street.

P. 126
Ķīpsala. Opposite Old Riga, on the left bank of the Daugava historic buildings have been preserved – houses of fishermen and Daugava ferrymen characteristic for the 19th century. A zone of wooden buildings is being created under the supervision of architect Zaiga Gaile.

P. 128
Arkādijas garden is one of the most typical landscape parks in Riga.

P. 130
Wooden architecture has been best preserved in Riga suburbs. In the middle of the 18th century specific manors in summer cottage style became the fashion of the day among the rich city-dwellers.

P. 131
Hartmann's manor in Kalnciema street is a Classicist ensemble of the 19th century. The manor was first mentioned in historic documents in 1791, when Āgenskalns was already enjoying full rights of a Riga district. A second name of the complex – Hagen's manor – has been preserved from its early name – Hāgenskalns.

P. 132
In 1997 the historic centre of Riga was included into the list of UNESCO World heritage due to Old Riga, Art Nouveau and wooden buildings. All these phenomena making up pro-

tected zone were equally highly appreciated. Wooden houses can be seen both in the city centre and old suburbs of Riga. One of the most significant witnesses of the time is Kalnciema street.

P. 133
The ensemble of 34 wooden houses in Kalnciema street is a unique collection of dwelling houses of the second half of the 19th century. Sumptuous two-storey dwelling houses with spacious flats, verandas, balconies, terraces and luxurious staircases were built along both sides of the street. Active renovation of the houses has been started in recent years.

P. 134
At the gateway to Riga one of the oldest and most interesting open-air museums in Europe is situated, which shows the originality of wooden architecture, social life traditions and way of life in Latvian ethnic regions. Ethnographic Open-air Museum of Latvia was started in 1924. A plot of land (70 ha) by Lake Jugla was allotted for the museum. The first building erected in the Museum in 1928 was the kilnhouse of Rizgu homestead (top).

P. 135
Rural homesteads of Latvian regions. During traditional people's festivals every visitor of the Museum can live through the ancient Latvian rituals, take part in dance and games, as well as try an unusual meal. The great fair of people's craftsmen and artisans takes place every year on the first Saturday and Sunday in June.

P. 136–139
One of the most interesting and attractive pages of Latvian national culture is the Festival of Song and Dance, when on the grand stage of Mežaparks a choir of over 10 000 voices sing, but in Daugava stadium equally numerous dancers take part in performance, to say nothing of the musicians who come to Riga once in five years. The Song and Dance Festival of 2008 witnessed the greatest number of participants in its history – 38601 singers, dancers and musicians. It leaves us hope that in five years, in 2013 even more participants will come to Riga for the 25th festival of Song and 15th festival of Dance. This unique phenomenon characteristic only for Baltic peoples, has been included in UNESCO heritage.

P. 136
Participants of the Festival are welcomed by Valdis Zatlers the President of Latvia (top).

P. 138
Māris Sirmais, one of the chief conductors of the Song and Dance Festival, conductor of the famous choir *Kamēr* (top).

P. 142
Saules akmens ("Sun Stone"). The multi-storey building of *Hansabanka* marks the panorama of the left bank of the Daugava.

P. 143
Ships are part of Riga landscape just as in the bygone days.

P. 144
Railway bridge enframed by night.

ABBILDUNGEN

S. 17

Das Wappen Rigas. Urkundlich wird es bereits 1225 erwähnt. Zwei Bestandteile davon, sind bis heute erhalten: die Stadtmauer mit zwei Türmen, welche die Unabhängigkeit der Stadt symbolisieren, und zwei gekreuzte Schlüssel, welche die Kraft des Bischofs und des Livländischen Ordens bezeugen.
Der Löwenkopf mittig im Tor, zeugt seinerseits von dem Mut der Stadtbewohner.

S. 18

Das Stadtpanorama. Das Erkennungszeichen der Stadt ist die Silhouette der Altstadt am rechten Ufer der Daugava, welche durch die vielen Kirchtürme gekennzeichnet wird. 2007 wurde das Panorama Rigas zum Wahrzeichen des Europäischen Erbes erklärt.

S. 28

Audēju iela (Webergasse). Eine der Straßen der Altstadt, welche die Berufsbezeichnung eines Handwerkers erhalten hat..

S. 30

Das Rigaer Schloss wurde am Ufer der Daugava zum ersten Mal 1330 – 1348 errichtet. Hundert Jahre später haben die Bewohner das Schloss bei einer bewaffneten Auseinandersetzung mit dem Livländischen Orden zerstört. Nach der Niederlage waren sie gezwungen, das Schloss aber wieder aufzubauen.

S. 32

Das Schloss im Festschmuck. Nach dem Niedergang des Livländischen Ordens im Jahre 1561 haben sich im Schloss die örtlichen Vertreter der herrschenden politischen Mächte niedergelassen: polnische Burggrafen, schwedische und russische Generalgouverneure. Seit dem 12. Juni 1995 ist das Rigaer Schloss der Amtssitz des lettischen Staatspräsidenten.

S. 35

Der Domturm ist eines der Highlights des Altstadtpanoramas.

S. 36

Die Keramik ist von den Jahrmärkten in Alt-Riga nicht wegzudenken.

S. 37

Der Kräutermarkt auf dem Domplatz hat nach der Wiederentstehung des lettischen Freistaates seine Neugeburt erlebt. Das Johannisfest ist ein seit eh und je gefeiertes Sommersonnenwendefest. Das Johannisfest wird mit dem sogenannten Kräutertag (auch das Ligo-Fest genannt) am 23. Juni eingeleitet.

S. 38

Der Rigaer Dom. Am 25. Juli 1211 hat der Livländische Bischof Albert den Grundstein der Domkirche eingeweiht.
Der Bau der Kirche wurde dann Mitte des XIII. Jh. beendet. Die Bilderstürmer haben 1522 viele Heiligenbilder im Rigaer Dom zerstört. 1574 wurde der Dom von einer neuen Feuersbrunst heimgesucht. Im XVI. Jh. wurde der Dom durch eine neue Turmspitze mit einem Wetterhahn darauf gekrönt. Sein heutiges Aussehen aber erhielt der Kirchenturm im Jahre 1776. Gegenwärtig ist der Rigaer Dom die Kathedrale des Erzbischofs der Evangelisch-lutherischen Kirche Lettlands.

S. 40

Das Gotteshaus ist ein eigenartiges Memorial und eine Enzyklopädie der Geschichte. In der Kirche wurden viele berühmte Bürger der Stadt beigesetzt.

S. 41

Die weltberühmte Orgel im Dom war ihrer Zeit eine der größten in der Welt. Die erste Orgel wurde 1601 durch den berühmten Orgelbauer Jakob Raab aus Danzig erbaut. Noch heute erfreut der von ihm angefertigte Orgelprospekt jeden Besucher. 1884 wurde eine neue Orgel durch die damals berühmteste Orgelbaufirma *Walcker & Co* (Deutschland) errichtet. Die Domorgel ist 19 m hoch, 10 m breit und 14 m tief. Sie hat 124 Register, 6718 Orgelpfeifen mit einer Höhe von 13 mm bis 10 m. Die Orgel hat vier Manuale und ein Pedal. Wegen ihrer einwandfreien Qualität und der besonderen Klangfarbe ist der Dom nach wie vor eine der beliebtesten Pilgerstätten für international renommierte Musiker.

S. 42

Kreuzgang.

S. 43

In die Mauern der Kirche sind die Muster der Jahrhunderte eingewoben.

S. 47

Die Hl. Petrikirche war im Mittelalter die Hauptkirche der Rigaer Hauseigentümer, die von alters her den Stadtbewohnern gehörte. Der Kirchengemeinde gehörten hauptsächlich die privilegierten Kaufleute der Großen Gilde und die Zunfthandwerker der Kleinen Gilde an. Die Hl. Petrikirche ist erstmals im Jahre 1209 erwähnt worden. Ihr ältester Teil – das heutige Mittelschiff und der 1408 – 1409 erbaute Altarteil – entspricht dem gotischen Stil. Die Kirche ist mehrmals umgebaut und erweitert worden. Die 64,5 m hohe Turmspitze war die in der Welt höchste Holzkonstruktion. 1721 wurde der Turm vom Blitz getroffen und er brannte nieder. Einer Überlieferung zufolge habe der russische Zar Peter I., der sich damals in Riga aufhielt, an den Löscharbeiten teilgenommen. Während des Zweiten Weltkriegs hat ein Artilleriegeschoss die Kirche getroffen und sie brannte aus. Der Turm wurde 1973 erneuert. Seine Höhe beträgt 123 m.

S. 48

Die Westfassade der Hl. Petrikirche ist mit den drei Portalen der Haupteingänge verziert, welche 1692 vom Baumeister Rupert Bindeschuh in Zusammenarbeit mit dem Maurermeister A. Petermann gestaltet wurde.

S. 50

Der Konventhof. Ursprünglich befand sich dort die Burg des Schwertbrüderordens, die damals die Weiße Steinburg genannt wurde. Sie wurde 1297 zerstört. In die Überreste der Burg wurde das Spital des Heiligen Geistes umgesiedelt, das den Namen Konventhof des Heiligen Geistes erhielt. Im XV. Jh. befand sich hier das Armenhaus Campenhausens. Im Konventhof befand sich auch das *Asyl der Grauen Schwestern* – eine Behausung für die Krankenpfleger, sowie ein Spital, das im Jahre 1488 erbaut wurde. Der Name *Asyl der Grauen Schwestern* stammt von den grauen Überwürfen der dort wohnenden Nonnen. Gegenwärtig befinden sich in diesem Gebäudekomplex ein Hotel sowie Museen, Läden, Gaststätten und Cafés.

S. 51

Die Hl. Johanniskirche. 1234 übergab der Bischof Nikolaus die Bischofsburg an die Mönche des Dominikanerordens, welche in der Burg das Kloster und die Kirche gegründet haben. Die Kirche bekam den Namen von Johannes dem Täufer. Beim

Umbau wurden die Innenräume mit feinen Netzgewölben überdeckt. Die Hl. Johanniskirche ist der letzte Kultbau in Lettland bzw. im ganz Baltikum, bei welchem der Einfluss der Architekturprinzipien der Spätgotik noch zu verfolgen ist.

S. 52

Für die Landschaft von Alt-Riga sind die Speicher typisch, welche an eine der Grundtätigkeiten der Stadtbewohner – den Handel – erinnern.

S. 53

Die Hl. Jakobskirche. Gebaut um 1225. Der Backsteinbau ist typisch für die Übergangszeit von der Romantik zur Gotik. Der Turm hat eine Höhe von 80 m. Das westliche Hauptportal ist 1782 angebaut worden. Heute ist die Hl. Jakobskirche die Erzbischofskathedrale der Römischen katholischen Kirche.

S. 54

Laut einer Überlieferung ist hier das erste Fenster in der Altstadt ausgehauen worden.

S. 55

Der Ramerturm ist einer von 30 Befestigungstürmen von Alt-Riga, der 1987 restauriert wurde.

S. 56

Die Skāņu iela birgt in sich viele Zeugnisse aus der Vergangenheit, deren Anfänge schon aus dem Jahr 1295 stammen, als sich hier eine Reihe von Metzgereien befanden. Gleich in der Nähe waren der Marktplatz und die Münzschmiede zu finden (oben). Der Pulverturm. Ursprünglich wurde er Sandturm genannt. Erstmals wurde er 1330 erwähnt. Sein Durchmesser erreicht 14,3 m, die Höhe beträgt 25,6 m, die Mauer ist bis zu 3 m dick. Seinen heutigen Namen erhielt der Turm im XVII. Jh., als dort das Schießpulver aufbewahrt wurde. 1939 wurde das Gebäude des Kriegsmuseums angebaut.

S. 57

Die Jakobskaserne ist in den 70er Jahren des XVIII. Jh. für die Einquartierung der Streitkräfte erbaut worden, damit die Rigaer Bürger ihre Wohnhäuser für diesen Zweck nicht hergeben mussten.

S. 58

Die Häusergruppe *Drei Brüder* ist kennzeichnend für die Wohnhäuser der Hansezeit. Das Gebäude rechts stammt aus dem XV. Jh. und ist damit das in Riga älteste Wohnhaus aus Stein, welches bis zur Gegenwart erhalten geblieben ist. Derzeit befindet sich in diesem Gebäudekomplex das Architekturmuseum der Stadt Riga.

S. 59

Das Schwedentor. Die Verteidigungsmauer hatte vom XIII. bis zum XVI. Jh. insgesamt 25 Tore. Bis zum heutigen Tage ist nur das Schwedentor in der Torņu iela 11 erhalten geblieben. Das Tor wurde 1698 durch das in der Stadtmauer befindliche Wohnhaus gebrochen, um damit eine abschließbare Tordurchfahrt errichten zu können.

S. 60

Die Lärmgasse (Trokšņu iela) hat ihren Namen vom lebhaften Treiben erhalten. Heute ist sie eine der stillsten Gassen der Altstadt.

S. 61

Das Parlament der Republik Lettland *Saeima*. Das Parlament als Gesetzgeber des Staates tagt in dem Gebäude, wo sich Ende des XIX. Jh. die Ritterschaft Livlands versammelte. Das Ge-

bäude wurde 1867 nach dem Entwurf des deutschen Architekten Robert Pflug und des Letten Jānis Baumanis errichtet.

S. 62

Das Rathaus – der Sitz des Stadtrates von Riga. Das neue Rathaus wurde 1750 – 1765 nach dem Entwurf von J. F. Ettinger erbaut. Das war das erste Gebäude der Epoche des Klassizismus in Riga. Das Gebäude wurde im Zweiten Weltkrieg stark beschädigt. 1954 wurden die ausgebrannten Mauern abgerissen. Die Wiedergeburt des Rathauses begann in den 90er Jahren des vorigen Jahrhunderts. 2004 hat der Stadtrat von Riga im wieder aufgebauten Rathaus das Einzugsfest gefeiert.

S. 63

Im Jahre 2000 ist das Schwarzhäupterhaus von neuem entstanden. Genau wie in alten Zeiten steht vor ihm die Roland-Statue, welche Gerechtigkeit und Freiheit symbolisiert.

S. 64

Das Schwarzhäupterhaus. 1416 vereinigten sich in Riga ledige ausländische Kaufleute in der sog. Bruderschaft der Schwarzhäupter, die sich aus der am Ende des XIII. Jh. bestehenden St. Georgs Bruderschaft entwickelte. Ihren Namen bekamen die Schwarzhäupter von ihrem Schutzpatron – dem hl. Mauritius, der als Mohr dargestellt wurde.

S. 65

Der Festsaal. In den alten Zeiten fanden dort Zusammenkünfte statt, bei welchen die Kaufleute und Schiffer beim Bierkrug ihre Geschäfte besprachen oder sich mit verschiedenen Spielen die Zeit vertrieben.

S. 66

Das Schwarzhäupterhaus ist mit vielen interessanten und bedeutenden Details verziert.

S. 67

Die Große Gilde. Die Große Gilde oder das Haus der Bruderschaft der Kaufleute dient heute als ein Konzertsaal (oben).

S. 73

Brīvība (Freiheit). Der Bildhauer Kārlis Zāle hat als Allegorie für die Freiheit, die Frauenstatue gewählt, die über dem Kopf drei Sterne hält – Symbole der kulturhistorischen Regionen Lettlands – Kurzeme, Vidzeme und Latgale.

S. 74

Das Freiheitsdenkmal wird von verschiedenen Skulpturgruppen und Reliefs umgeben, welche symbolisch die wichtigsten Ereignisse aus der Geschichte des lettischen Volkes darstellen.

S. 75

Das Freiheitsdenkmal. Jahrhundertlange Bestrebungen des Volkes nach Freiheit und Unabhängigkeit sind in dem durch den Bildhauer Kārlis Zāle und den Architekten Ernests Štālbergs gestalteten Freiheitsdenkmal erfasst. Das Denkmal wurde 1935 eingeweiht.

S. 76

Die Ufer des Rigaer Stadtkanals werden durch 15 größere und kleinere Brücken verbunden.

S. 77

Die Lettische Nationaloper. Anstelle der abgetragenen „Pfannkuchenbastion" (ein Teil des Befestigungssystems) wurde 1860 der Grundstein für das Rigaer Stadttheater (damals das Deutsche Theater) gelegt. Das Gebäude wurde vom Architekten Ludwig Bonstedt aus St. Petersburg entworfen. Im Juni

1882 aber brannten die Innenräume des Gebäudes aus. Die Erneuerungsarbeiten des Theatergebäudes wurden nach dem Entwurf des Architekten Reinhold Schmeling 1885 begonnen und im Jahre 1887 abgeschlossen.

In den Grünanlagen am Stadtkanal wurde 1888 der Springbrunnen „Nymphe" (Bildhauer August Folz) aufgestellt.

S. 78

Der deutsch-englische Industrielle George Armitstead war 1901 – 1912 der Bürgermeister von Riga. Dies war die Zeit, als die Stadt ihre Blütezeiten erlebte. Er war einer der Förderer dieses Wachstums. Während seiner Amtszeit wurde Riga zur Jugendstilmetropole. Das Denkmal für G. Armitstead und seine Gattin wurde 2006 durch die Königin Großbritanniens Elisabeth II. enthüllt.

S. 79

Der Rigaer Stadtkanal. 1857 hatte der damalige Bürgermeister Rigas und Vorsitzender des Ausschusses zur Abtragung der mächtigen Festungswerke der Stadt mit dem von einem Goldschmied speziell angefertigten Spaten feierlich die Abtragung der Stadtwälle begonnen. Die Arbeiten dauerten bis 1863, bei welchen der frühere Schutzgraben der Stadt zum Stadtkanal umgewandelt wurde. Das ca. 10 ha. große Gelände, das heute die Parkanlagen am Stadtkanal bildet, ist einer der schönsten Akzente der Stadtlandschaft.

S. 80

Bei der Abtragung der Schutzwälle der Stadt entstand ein künstlich aufgeschütteter Hügel, der „Basteiberg" *(Bastejkalns)* benannt wurde.

S. 81

Hotel de Rome.

S. 82

Das Nationale Kunstmuseum Lettlands. 1905 wurde das Kunstmuseum der Stadt Riga eröffnet. Das Gebäude im Stil des Historizismus hat der deutschbaltische Architekt, Bauunternehmer und Kunsthistoriker Wilhelm Neumann errichtet. Er wurde auch zum ersten Direktor des Museums ernannt. Sein Berater im Entwurfsstadium des Museumsgebäudes war der deutsche Architekt Paul Wallot, der als Architekt des Berliner Reichstags bekannt ist

S. 85

Die Lettische Akademie der Künste. Gegründet 1919. Zum ersten Rektor dieser Kunsthochschule wurde das Mitglied der Kunstakademie von St. Petersburg, der herausragende lettische Landschaftsmaler Vilhelms Purvītis, ernannt. Seit 1940 befindet sich die Akademie in dem neugotischen Gebäude der ehemaligen Bankkommerzschule, das 1905 vom Architekten W. L. N. Bockslaff errichtet wurde.

S. 86–87

Das Lettische Nationaltheater. Es wurde als das zweite bzw. das russische Theater nach dem Entwurf von August Reinberg erbaut. Das Theatergebäude hatte eine nach dem damals neuesten technischen Standard eingerichtete Bühne und eine perfekt beleuchtete Paradetreppe. Die Atlanten-Figuren am Theatereingang hat der Bildhauer A. Folz erschaffen.

S. 89

Mit vollem Recht wird Riga die Jugendstilmetropole genannt. Einer der Erforscher dieses Kunststils, Architekturprofessor Jānis Krastiņš behauptet, dass fast jeder, der Riga besucht, den Wunsch äußert, die Jugendstilhäuser von Michail Eisenstein zu sehen. Groß ist dann die Überraschung, wenn man erfährt, dass dieser Architekt nur etwa fünfzehn Häuser entworfen hat. Dagegen haben die Architekten Konstantīns Pēkšēns 250, Eižens Laube ca. 100 und Jānis Alksnis 130 Häuser erbaut. Von wo denn diese Architekten herkommen, werde der Professor gefragt. Mit Stolz antwortet er: „Das sind unsere. Sie haben an unserem Polytechnischen Institut in Riga studiert".

S. 90–91

Den von M. Eisenstein entworfenen Häusern ist ein gesättigter, öfters sogar eine Art übertriebener Dekorativismus eigen. Am besten ist das an den Häuserfassaden in den Straßen Alberta, Strēlnieku und Elizabetes iela zu beobachten.

S. 92–93

Die Plastiken, mit welchen die Häuser von Michail Eisenstein verziert sind, sind artistisch, reich und attraktiv. Die größte Liebe seines Lebens – die Operette – hat den Architekten dazu verführt.

S. 94

Im Haus Alberta iela 12 schlängelt sich eine wendelartige Treppe in die fünfte Etage, wo sich unter einem ornamentalen Deckengemälde das Memorialmuseum des Altmeisters der lettischen Malerei Janis Rozentāls und des hervorragenden lettischen Schriftstellers Rūdolfs Blaumanis befindet.

S. 95

Alberta iela 12. Im Jahre 1903 entstand das Gemeinschaftswerk der Architekten Konstantīns Pēkšēns und Eižens Laube – eines der prächtigsten zu Beginn des XX. Jh. in Riga erbauten Häuser.

S. 96

Das Zentrum Rigas ist reich an Mustern des nationalen Jugendstils. Jedes Detail ist ein einzigartiges Kunstwerk.

S. 97

Das von E. Laube entworfene Gebäude Ecke Brīvības und Lāčplēša iela.

S. 100

Brīvības iela (Freiheitsstraße) – die Hauptstraße Rigas.

S. 104

Die Neue Hl. Gertrude-Kirche.

S. 105

Tērbatas iela.

S. 106

Berga bazārs (*Bergs Basar*). Erbaut nach dem Entwurf von K. Pēkšēns für den Unternehmer Kristaps Bergs. Der Komplex umfasst 3 bis 4-geschossige Miethäuser in den Straßen Dzirnavu, Marijas und Elizabetes iela; Im Erdgeschoss der Häuser befinden sich Läden. Die Häuserfassaden sind in Formen der Neu-Renaissance gestaltet. Der Hauptbestandteil des Bergs-Basars ist die in der Mitte des Viertels eingebaute Häusergruppe mit einer Passage im Erdgeschoss. Die Räumlichkeiten wurden Ende des XX. Jh. teilweise rekonstruiert. In einem der zentralgelegenen Häuser ist heute das *Hotel Bergs* eingerichtet.

S. 107

Die Fontäne im Hof von *Hotel Bergs* hat der Künstler Ilmārs Blumbergs entworfen.

S. 108

Charakteristische Züge der neuen Architektur in Riga.

S. 109

Das Gebäude *Centra nams* – einer der Neubauten der Stadt.

ILLUSTRATIONS

à Saint Jean-Baptiste. Suite à sa reconstruction, l'intérieur fut recouvert de voûtes fines. L'église de Saint-Jean est le dernier bâtiment en Lettonie et aux Pays Baltes qui représente le style gothique tardif.

p. 52

Les entrepôts sont caractéristiques de Riga, un rappel d'une des occupations principales des rigois – le commerce.

p. 53

L'église Saint-Jacques, construite vers 1225. L'édifice en briques est caractéristique de l'époque de transition du Roman au Gothique. Le portail ouest principal fut ajouté en 1782. Le clocher s'élève à 80 mètres, une petite coupole fut construite au 15ème siècle pour couvrir partiellement la cloche de l'horloge. Aujourd'hui l'église Saint-Jacques est la propriété de l'archevêché de l'église catholique romaine. Ensemble avec l'église Sainte Marie Magdeleine et des locaux du monastère qui se trouvent à côté, Saint-Jacques forme un des centres les plus importants de l'église catholique à Riga.

p. 54

Selon une légende, la première fenêtre de la vieille ville fut percée dans cet endroit.

p. 55

La tour Rāmera – un de 30 anciens donjons de Riga, restauré en 1987.

p. 56

Rue Skārņu (« rue des Boucheries ») garde de nombreux témoignages historiques de 1295 quand la rue était occupée par une ligne de boucheries. Le marché de la ville et l'hôtel des monnaies se trouvaient juste à côté (l'image en haut). Tour Poudrière. Au début, nommée la Tour de Sable, la tour fut mentionnée pour la première fois en 1330. Son diamètre est de 14,3, sa hauteur de 25,6 m. L'épaisseur des murailles atteint 3 mètres. La Tour obtint son nom actuel en 17ème siècle quand la poudre y était conservée. En 1939, la Tour fut complétée par une extension pour correspondre aux besoins du Musée de la Guerre.

p. 57

Les casernes de Saint-Jacques furent construites durant les années 1770 avec le but d'y loger les troupes armées sans devoir chasser les citadins de leurs habitations.

p. 58

Les Trois Frères – un ensemble d'édifices, caractéristiques au style des maisons à vivre en ligue hanséatique. Le plus ancien de trois édifices est la plus vieille maison à vivre conservée jusqu'à nos jours. Le Musée d'architecture de Riga occupe actuellement l'ensemble des bâtiments.

p. 59

La Porte suédoise. Au total 25 portes s'ouvraient dans les remparts de Riga entre les 13ème et 16ème siècles dont seulement la Porte suédoise est conservée jusqu'à nos jours. Cette porte fut percée en 1698 dans une maison d'habitation pour y installer un passage.

p. 60

Rue Trokšņu (« rue de Bruits ») doit son nom aux fêtes vives et bruyantes de l'époque mais aujourd'hui elle est une de plus calmes rues de la vieille ville.

p. 61

Le parlement (*Saeima*) de la République lettone, construit en 1867 selon le projet des architectes Robert Pflug et Jānis Baumanis. L'actuel siège des députés était à son origine la maison des chevaliers de Vidzeme.

p. 62

La Mairie de Riga. Construit entre 1750 et 1765 selon le projet de J.F.Etingher, c'était le premier édifice du classicisme à Riga. Sérieusement endommagé pendant la Seconde Guerre mondiale, le reste du bâtiment fut déconstruit en 1954. La renaissance de l'ancien hôtel de ville débuta vers des années 1990 et, en 2004, les gouverneurs de Riga revinrent au bâtiment reconstruit, un assemblage d'ancien et de moderne.

p. 63

La Maison des Têtes Noires connut sa renaissance en 1999. Comme auparavant, la statue de Roland – symbole de justice et de liberté – se trouve devant l'édifice.

p. 64

La Maison des Têtes Noires. En 1416 les marchands célibataires étrangers se réunirent pour créer une confrérie appelée les « têtes noires » qui reprirent les traditions de la confrérie de Saint George, existante déjà au 13ème siècle. Les « têtes noires » doivent leur nom à leur patron, Saint Maurice.

p. 65

La salle des fêtes. Auparavant, salle de réunion où avaient lieu les discussions entre marchands et propriétaires de bateaux sur les affaires futures.

p. 66

La Maison des Têtes Noires est ornée de nombreux détails décoratifs

p. 67

La Grande Guilde ou la maison de la société des marchands est actuellement une salle de concerts (l'image en haut).

p. 70

Rue Tirgoņu.

p. 73

La Liberté. Une figure d'une femme, tenant trois étoiles qui représentent les trois provinces historiques de la Lettonie – Kurzeme, Vidzeme et Latgale – c'est le symbole de la liberté, choisi par le sculpteur Kārlis Zāle.

p. 74

Le Monument de la Liberté est formé de plusieurs groupes sculpturaux et bas-reliefs qui illustrent des événements historiques du pays.

p. 75

Le Monument de la Liberté. Conçu par le sculpteur Kārlis Zāle et l'architecte Ernests Štālbergs, le Monument fut inauguré en 1935. Il concrétise les aspirations à la liberté et à l'indépendance du peuple letton pendant plusieurs siècles.

p. 76

Le canal de Riga et traversé par 15 ponts.

p. 77

L'opéra national letton. La première pierre de l'édifice du théâtre allemand fut posée en 1860 sur le lieu d'un ancien bastion. Les travaux de construction furent arrêtés après un incendie en 1882 mais repris en 1887 sous la direction de l'architecte Reinhold Schmeling.
La fontaine devant l'Opéra, intitulée « la Nymphe » et érigée en 1888, est devenue une composante de l'ensemble de l'Opéra.

p. 78

George Armitstead était le maire de Riga entre 1901 et 1912 – la décennie quand la ville connut son plus grand épanouissement, également favorisé par Armitstead. Sous sa direction Riga devint la métropole de l'art nouveau. La sculpture de George Armitstead et son épouse fut inaugurée en 2006 par la reine de Grande-Bretagne, Elisabeth II.

p. 79

Le canal de Riga. La destruction des anciens remparts de Riga fut commencée en 1857 par le maire de Riga et le chef de la commission de destruction des remparts. Une bêche en or fut spécialement créée à cette occasion. Les travaux continuèrent jusqu'à 1863 et au résultat l'ancien fossé fut transformé au canal de la ville. Les espaces verts du canal qui s'étendent sur un territoire de 10 ha environ, sont une des plus belles décorations vertes de Riga.

p. 80

Après la déconstruction des remparts de sable de Riga, une colline artificielle fut créée, appelée *Bastejkalns* (la Colline du Bastion).

p. 81

Hotel de Rome.

p. 82

Le Musée national des Beaux-Arts, inauguré en tant que Musée des Beaux-Arts de Riga en 1905. Le bâtiment fut conçu dans le style historique par l'architecte, entrepreneur et historien des arts, Wilhelm Neumann qui devint ensuite le premier directeur du Musée. Le conseiller du projet de Neumann fut l'architecte allemand Paul Wallot, connu en tant que l'auteur du Reichstag de Berlin.

p. 85

L'Académie des Beaux-Arts, fondée en 1919, son premier recteur était Wilhelm Purvītis, académicien de l'Académie des Beaux-Arts de Saint-Pétersbourg et peintre letton exceptionnel. Depuis 1940, l'Académie occupe les locaux de l'ancienne Ecole de commerce, construite dans le style néogothique par l'architecte V.L.N. Bockslaff.

pp. 86–87

Le Théâtre national letton. Construit en tant que deuxième théâtre de Riga ou théâtre russe selon le projet d'A. Reinberg. Les solutions techniques du théâtre étaient très modernes à l'époque. Les figures des Atlantes près de l'entrée furent conçues par le sculpteur A. Voltz.

p. 88

Une chance de voir Riga à vol d'oiseau.

p. 89

Riga mérite bien son statut de métropole de l'art nouveau. Selon Jānis Krastiņš, historien de l'art nouveau, chacun souhaite voir les édifices conçus par Mikhaïl Eisenstein. Avec grande surprise ils apprennent qu'il n'en a plus qu'une quinzaine alors que Konstantin Pēkšēns, Eugène Laube et Jānis Alksnis en ont respectivement 250, 100 et 130. D'où viennent ces architectes lettons ? D'ici, répond Jānis Krastiņš, de notre propre Institut Polytechnique.

pp. 90–91

Le style d'Eisenstein est caractérisé par un décor dense, voire exagéré. Les meilleurs de ses exemples se trouvent dans des rues Alberta, Strēlnieku et Elizabetes.

pp. 92–93

Des sculptures d'Eisenstein sont artistiques, riches et attirantes. Probablement, il s'est inspiré du grand amour de sa vie – l'opérette.

p. 94

Un escalier à vis de l'immeuble 12, rue Alberta, amène au musée mémorial du peintre classique letton, Janis Rozentāls, et de l'écrivain célèbre Rūdolfs Blaumanis. L'intérieur du bâtiment est orné par des peintures ornementales au plafond.

p. 95

Bâtiment 12, rue Alberta. Cet immeuble fut créé en coopération des architectes Konstantin Pēkšēns et Eugène Laube. L'immeuble est parmi les plus beaux édifices du début du 20ème siècle et possède une place importante dans l'ensemble de l'art nouveau de la rue Alberta.

p. 96

Ces édifices du centre de Riga sont représentatifs de l'art nouveau national. Chaque détail est une oeuvre d'art intéressante.

p. 97

Le bâtiment au coin des rues Brīvības et Lāčplēša, conçu par Eugène Laube.

p. 100

Rue Brīvības – l'artère principale de Riga.

p. 103

Reflets.

p. 104

Nouvelle Eglise Sainte Gertrude.

p. 105

Rue Tērbatas.

p. 106

Berga Bazārs, construit selon le projet de K. Pēkšēns et commandé par l'entrepreneur K. Berg. Le complexe consiste en maisons d'habitation de 3 ou 4 étages, donnant sur les rues Dzirnavu, Marijas et Elizabetes. Les rez-de-chaussée sont occupés par des boutiques et restaurants, les façades sont du style néo-renaissance. La composante la plus intéressante de Berga Bazārs est le groupe d'édifices à l'intérieur du quartier avec un passage au rez-de-chaussée. Le quartier fut partiellement renouvelé à la fin du 20ème siècle. L'hôtel Bergs se trouve dans un des bâtiments centraux.

p. 107

La fontaine à la cour de l'hôtel Bergs fut conçue par Ilmārs Blumbergs.

p. 108

Traces de l'architecture moderne à Riga.

p. 109

Centra nams, un des immeubles récemment construits.

p. 110

La construction de maisons en bois dans des faubourgs de Riga répandit après les incendies de 1812 quand les faubourgs de Riga furent complètement brûlés pour protéger la ville des troupes armées de Napoléon. En fait, c'était de grands nuages de poussière, soulevés par des troupeaux qui firent croire que les forces de l'ennemi s'approchaient. Par la suite, les faubourgs furent reconstruits avec des maisons en bois d'un ou deux étages.

ИЛЛЮСТРАЦИИ

17 стр.

Герб Риги. Первые сведения о нём относятся к 1225 году. Два элемента герба сохранились до наших дней: символизирующая независимость города крепостная стена с двумя башнями и два скрещенных ключа, олицетворяющие мощь епископа и Ливонского ордена. Львиная голова в воротах свидетельствует об отваге горожан.

18 стр.

Панорама Риги. Вид Старой Риги с очертаниями церквей на правом берегу Даугавы является самым узнаваемым образом города. В 2007 году панорама Риги была объявлена одним из символов Европейского наследия.

26 стр.

Шпиль церкви Св. Петра – ориентир для любого туриста.

28 стр.

Улица Аудею (Ткачей). Одна из рижских улиц, названная в честь ремесленников.

30 стр.

Рижский замок на правом берегу Даугавы был построен в период с 1330 по 1348 годы. Через сто лет в ходе вооружённого столкновения с Ливонским орденом рижане разрушили замок, но, потерпев поражение, были вынуждены его восстановить.

32 стр.

Замок в празднечном убранстве. После ликвидации Ливонского ордена в 1561 году в замке размещались местные политические представители правящих властей: польские бургграфы, шведские и российские генерал-губернаторы. С 12 июня 1995 года Рижский замок является резиденцией президента Латвийского государства.

33 стр.

Замку присуще не только могущество, но и романтизм.

35 стр.

Шпиль Домского собора – один из символов Старой Риги.

36 стр.

Ярмарки в Старой Риге не обходятся без керамики.

37 стр.

Янов день – праздник летнего солнцестояния, прославляющий плодородие земли и солнце. Янову дню предшествует День трав или праздник Лиго. Традиция празднования Дня трав на Домской площади возродилась после восстановления независимости Латвии.

38 стр.

Рижский Домский собор, начало строительства которого 25 июля 1211 года освятил епископ Ливонии Альберт. Построен храм в середине 13 века. В 1522 году Рижский Домский собор стал жертвой иконных погромов, а в 1574 году случился большой пожар. В конце 16 века был сооружён новый шпиль Домского собора, на котором впервые появился петух, на гребешке которого был обозначен год рождения – 1595. Свой нынешний вид Домский собор обрёл в 1776 году. Сегодня Рижский Домский собор – резиденция архиепископа Латвийской евангелическо-лютеранской церкви.

40 стр.

Домский собор – это своеобразный мемориал и историческая энциклопедия. В храме погребены многие видные горожане.

41 стр.

Знаменитый орган Домского собора в своё время был самым большим в мире. Первый орган был изготовлен в 1601 году известным мастером Якобом Раабом из Данцига. В 1884 году орган построила самая известная по тем временам германская фирма *Walcker&Co.* Высота домского органа – 19, ширина – 10, а глубина – 14 метров. Орган имеет 124 регистра, 6718 труб (их длина от 13 миллиметров до 10 метров), 2 пульта с 4 мануалами. Благодаря безупречному качеству звучания и особому тембру органа, Домский собор среди ярчайших музыкантов разных стран мира стал излюбленным местом для выступлений.

42 стр.

Внутренняя галерея с крестовыми сводами.

43 стр.

В стенах собора запечатлены узоры веков.

47 стр.

Собор Св.Петра в первый раз упоминается в документах в 1209 году. Центральная часть храма и построенная в 1408–1409 годах алтарная часть выполнены в готическом стиле. Храм неоднократно перестраивался и расширялся. Башня собора высотой в 64,5 метра в своё время была самым высоким деревянным сооружением в мире.В 1721 году в башню ударила молния и она сгорела. Говорят, что в тушении пожара принимал участие даже русский царь Пётр1, находившийся в то время в Риге. В годы Второй мировой войны собор Св. Петра разрушил артиллерийский снаряд – сгорела башня и крыша, было уничтожено внутреннее убранство. Собор был восстановлен в 1973 году, высота башни – 123 метра.

48 стр.

Западный фасад собора Св. Петра украшают порталы трёх главных входов, которые в 1692 году создал архитектор Руперт Бинденшу в сотрудничестве с мастером-каменщиком А. Петерманом.

49 стр.

Своды собора.

50 стр.

Двор Конвента. Сначала здесь находился замок Ордена меченосцев. Рижане этот замок разрушили в 1297 году. На месте бывшего замка разместили госпиталь Св. Духа, получившего название двора Конвента Святого Духа. В 15 веке здесь был вдовий приют Кампенхаузена для овдовевших женщин из низжих сословий города. Во дворе Конвента находился и построенный в 1488 году приют "серых сестёр". Приют своё название получил из-за серых накидок монахинь. Сегодня здесь размещены гостиница, музеи, магазины, рестораны и кафе.

51 стр.

Церковь Св. Иоанна. В 1234 году рижский епископ Николай передал епископский замок монашескому Ордену доминиканцев. Монахи основали монастырь, а церковь назвали в честь святого Иоанна Крестителя. В результате перестройки внутренние помещения позже были перекрыты изящными сетчатыми сводами. Церковь Св. Иоанна – это последнее в Латвии и Балтии культовое строение, в архитектуре которого можно проследить влияние принципов поздней готики.

52 стр.

Складские здания в Старой Риге напоминают об одной из основных сфер деятельности горожан – торговле.

53 стр.

Церковь Св. Якова построена в 1225 году. Кирпичное здание, характерное для периода перехода от романтики к готике. Высота башни – 80 метров. Главный западный портал перестроен в 1782 году. В 15 веке в южной плоскости 8-гранного шпиля образован небольшой кивер для колокола башенных часов. Ныне церковь Св. Якова является резиденцией архиепископа Римской католической церкви.

54 стр.

Говорят, что здесь было прорублено первое в Старой Риге окно.

55 стр.

Башня Рамера, одна из 30 башен укрепления древней Риги, восстановленная в 1987 году.

56 стр.

Улица Скарню (Мясницкая) хранит множество исторических свидетельств, начало которым было положено в 1295 году, когда на улице были расположены ряды мясных лавок, рядом находились рынок и монетный двор (на верхнем снимке).

Пороховая башня, которую изначально называли Песчаной, так как она охраняла вход в город возле Большой Песчаной дороги. Впервые упоминается в 1330 году. Диаметр – 14,3 метра, высота – 25,6 метра, толщина стен – 3 метра. Нынешнее название башня получила в 17 веке, когда в ней стали хранить порох. В 1939 году у башни появилась пристройка для нужд Военного музея.

57 стр.

Казармы Екаба были построены в 70-ых годах 18 века для расселения военных, чтобы горожанам не надо было предоставлять им свои жилища.

58 стр.

Группа зданий «Три брата» – очень характерный для городов Ганзейского союза тип жилых домов. Старший дом комплекса является самым старым каменным жилым зданием Риги (15 век), которое сохранилось до наших дней. Сегодня в комплексе раположен Музей архитектуры.

59 стр.

Шведские ворота. С 13 по 16 века в защитной каменной стене города насчитывалось 25 ворот, до наших дней сохранились лишь Шведские ворота на улице Торню 11. В 1698 году ворота выломали и вмуровали в жилой дом, чтобы устроить закрываемый проезд.

60 стр.

Улица Трокшню(Шумная), получившая своё название из-за весёлых гуляний, сегодня одна из самых тихих улочек Старой Риги.

61 стр.

Здание Сейма (парламента) Латвийской Республики. Законодатели государства работают в построенном в 1867 году по проекту немецкого архитектора Роберта Пфуга и латыша Яниса Бауманиса здании, в котором в конце 19 века собиралось видземское рыцарство.

62 стр.

Ратуша, в которой находится Рижская дума. Новую ратушу строили с 1750 по 1765 годы по проекту архитектора И. Ф. Этингера, здание стало первым в Риге строением эпохи классицизма. Ратуша сильно пострадала во время Второй мировой войны, и в 1954 году её руины были снесены. Восстановление здания ратуши началось в 90-ые годы прошлого столетия. Теперь здесь переплетены древность и современность.

63 стр.

В 2000 году заново был рождён Дом Черноголовых, перед которым, как и прежде, установлена статуя Роланда, символизирующая справедливость и свободу.

64 стр.

Дом Черноголовых. В 1416 году холостые иностранцы в Риге объединились в Братство Черноголовых. Название связано с чернокожим покровителем братства – Святым Маврикием.

65 стр.

Зал для торжеств. В древние времена здесь проходили собрания, на которых мореплаватели и купцы за кружкой пива обсуждали сделки и играли в различные игры.

66 стр.

Дом Черноголовых украшен многими интересными и существенными деталями.

67 стр.

В Большой Гильдии или Доме купеческого братства теперь находится концертный зал (на верхнем снимке).

73 стр.

Свобода. В качестве аллегории свободы скульптор Карлис Зале увидел образ женщины, которая над головой держит три звезды, символизирующие исторические регионы Латвии – Курземе, Видземе и Латгалию.

74 стр.

Находящиеся в основании Памятника Свободы скульптурные группы отображают важные события в истории Латвии.

75 стр.

Памятник Свободы. Многовековое стремление народа к свободе и независимости воплощено в монументе скульптора Карлиса Зале и архитектора Эрнеста Шталберга. Открытие Памятника Свободы состоялось в 1935 году.

76 стр.

Берега рижского канала соединяют 15 мостов и мостиков.

77 стр.

Национальная опера Латвии. На месте Блинного бастиона в 1860 году началось строительство рижского городского театра, в то время – немецкого театра. Проектировал здание архитектор из Петербурга

Людвиг Бонштет. Однако работы в 1882 году были приостановлены из-за пожара, завершилось строительство здания театра в 1887 году под руководством архитектора Рейнгольда Шмелинга. В зелёной зоне городского канала в 1888 году был установлен созданный скульптором Августом Фольцем фонтан «Нимфа».

78 стр.

Джордж Армистед на посту главы Риги пробыл с 1901 по 1912 годы. В этот период Рига переживала ярчайший расцвет. Во время правления Джорджа Армистеда Рига стала столицей архитектуры стиля модерн. В 2006 году королева Великобритании Елизавета II присутствовала на церемонии открытия памятника Джорджу Армистеду и его супруге.

79 стр.

Городской канал. В 1857 году бургомистр Риги и председатель комиссии по сносу городских укреплений, вооружившись специально изготовленной золотарём лопатой, торжественно приступили к раскопке защитных валов. Работы, в ходе которых бывший защитный ров был превращён в городской канал, продолжались вплоть до 1863 года. Площадь территории зелёных насаждений вдоль канала — 10 гектаров, сегодня это один из ярчайших акцентов зелёного убранства Риги.

80 стр.

При ликвидации оборонительных укреплений образовалась искусственная насыпь, которую назвали Бастионной горкой.

81 стр.

Hotel de Rome

82 стр.

Национальный музей искусства Латвии. В 1905 году был открыт Рижский городской музей искусства. Здание строил архитектор, строитель-предприниматель и историк искусства Вильгельм Нейман, родом из балтийских немцев. Он стал первым директором музея. В стадии проектирования консультантом Неймана был германский архитектор Пауль Валло, известный как автор Рейхстага в Берлине.

85 стр.

Академия художеств Латвии. Основана в 1919 году. Первым директором был академик Петербургской художественной академии, выдающийся латышский пейзажист Вильгельм Пурвитис. С 1940 года академия находится в неоготическом здании бывшего коммерческого училища, построенном в 1905 году архитектором В.Л.Н. Бокслафом.

86–87 стр.

Национальный театр Латвии. Здание строилось для второго или, иначе, русского театра по проекту архитектора А. Рейнберга. Здание славилось хорошо оборудованной сценой, высоким техническим уровнем и ярким освещением у парадного входа. Образы атлантов на фасаде театра создал скульптор А.Фольц.

89 стр.

Ригу называют столицей архитектуры модерн (югендстиль). Исследователь этого стиля Янис Крастиньш утверждает, что почти каждый гость Риги просит показать здания архитектора Михаила Эйзенштейна

и чрезвычайно удивляется, узнав, что по проектам Эйзенштейна в Риге построено всего домов 15, зато Константин Пекшен построил 250, Эйжен Лаубе – около 100, Янис Алкснис – 130 зданий в стиле модерн. Это рижские архитекторы, учившиеся в рижском Политехническом институте.

90–91 стр.

Зданиям М. Эйзенштейна присуща насыщенная, местами даже чрезмерная декоративность. Лучше всего в этом можно убедиться, осматривая фасады домов на улицах Альберта, Стрелниеку и Элизабетес.

92–93 стр.

Образы, украшающие здания М. Эйзенштейна, артистичны, роскошны и притягательны. Возможно автора вдохновляло одно из его больших увлечений — оперетта.

94 стр.

Войдя в здание на улице Альберта 12 и поднявшись по винтообразной лестнице на пятый этаж, Вы окажетесь в мемориальном музее выдающегося латышского художника Яна Розенталя и классика латышской литературы Рудольфа Блауманиса.

95 стр.

Дом на улице Альберта 12. В 1903 году архитекторами Константином Пекшеном и Эйженом Лаубе было создано одно из красивейших зданий Риги начала 20 века.

96 стр.

В центре Риги много образцов национального стиля модерн. Каждая деталь – это своеобразное произведение искусства.

97 стр.

Построенное по проекту Э. Лаубе здание на углу улиц Бривибас и Лачплеша.

100 стр.

Улица Бривибас – центральная магистраль Риги.

104 стр.

Новая церковь Св. Гертруды.

105 стр.

Улица Тербатас.

106 стр.

Базар Берга. Построен по проекту К. Пекшена по заказу промышленника и общественного деятеля К. Берга. Комплекс состоит из 3 – 4 этажных жилых домов на улицах Дзирнаву, Мариас и Элизабетес, на первых этажах зданий расположены магазины, фасадам которых характерны формы неоренессанса. Главная составляющая часть Базара Берга – построенная внутри квартала группа зданий с пассажем на первом этаже. В конце 20 века помещения были частично реконструированы. В одном из центральных зданий находится гостиница *Hotel Bergs.*

107 стр.

Фонтан во дворе *Hotel Bergs* создал художник Илмар Блумберг.

108 стр.

Штрихи новой архитектуры Риги.

109 стр.

Centra Nams – одна из новостроек города.

110 стр.

Наиболее стремительно деревянная застройка развивалась в предместьях Риги после недоразумения 1812 года, когда предместья сожгли, чтобы защитить Ригу от войск Наполеона. Через несколько лет застройка предместий возобновилась, строились небольшие 1–2 этажные деревянные дома.

111 стр.

Один из образцов деревянного зодчества можно увидеть и на территории комплекса Базар Берга.

112 стр.

Восстановленная улица Мурниеку (Каменщиков).

113 стр.

Древние каменные стены притягательны для художников.

116 стр.

Академия наук Латвии.

117 стр.

Церковь Иисуса. Самое большое деревянное здание Риги.

118 стр.

Улица Маскавас – историческая дорога в Даугавпилс и далее в Москву.

119 стр.

Моленная староверческой общины Гребенщикова. Основана в 1760 году.

122 стр.

Пардаугава (Задвинье). Мемориальный дом выдающегося театрального режиссёра Эдуарда Смильгиса. Сегодня здесь находится Театральный музей.

123 стр.

Монетное хранилище Банка Латвии.

124 стр.

Один из акцентов рижской архитектуры – водонапорная башня на улице Алисес.

126 стр.

Кипсала. Напротив Старой Риги, на левом берегу Даугавы, сохранилась историческая застройка с характерными для 19 века домами рыбаков и паромщиков. Под присмотром архитектора Зайги Гайле создаётся одна из зон деревянного зодчества Риги.

128 стр.

Сад Аркадии – один из типичных ландшафтных парков Риги.

130 стр.

Наиболее хорошо деревянная архитектура Риги сохранилась в предместьях. В середине 18 века среди богатых горожан стало модно строить особые усадьбы дачного типа.

131 стр.

Усадьба Хартмана на улице Калнциема 19 – ансамбль классицизма 19 века. Впервые в исторических документах усадьба упоминается в 1791 году, когда Агенскалнс уже стал полноправным районом Риги. От раннего названия района (Гора Хагена) сохранилось и второе название архитектурного комплекса – усадьба Хагена.

132 стр.

Деревянные дома встречаются как в центре города, так и в старых предместьях Риги. Одно из свидетельств тому – улица Калнциема.

133 стр.

Ансамбль из 34 деревянных зданий на улице Калнциема – уникальная коллекция жилых домов второй половины 19 века. По обе стороны улицы строились фешенебельные двухэтажные жилые дома с просторными квартирами, верандами, балконами, террасами и роскошными лестничными клетками. В последние годы ведётся активное восстановление зданий.

134 стр.

При въезде в Ригу расположен один из старейших и интереснейших в Европе этнографических музеев на открытом воздухе, где предстанены деревянная архитектура регионов Латвии, народные традиции и образ жизни. Начало Латвийскому этнографическому музею на открытом воздухе было положено в 1924 году, когда для создания музея выделили 70 гектаров земли на берегу озера Юглас. В 1928 году в музее появилось первое строение – рига хутора Ризги (на верхнем снимке).

135 стр.

Деревенские избы регионов Латвии. В ходе традиционных праздников любой посетитель музея может принять участие в древних латышских ритуалах, танцах и играх, а также отведать нетипичные для сегодняшнего дня явства. Каждый год в первые субботу и воскресенье июня в музее проходит большая ярмарка народных умельцев.

136–139 стр.

Одна из самых интересных и значительных страниц истории латышской национальной культуры – Праздник песни и танца, когда на Большой эстраде Межапарка в едином хоре поют более 10 000 человек, а на стадионе "Даугава" танцевальные узоры расписывают такое же количество танцоров, а ещё народные музыканты и духовые оркестры, которые раз в 5 лет собираются в Риге. Летом 2008 года в Празднике песни и танца приняли участие 38600 певцов, танцоров и музыкантов. Это самое большое количество участников за всю историю Праздника песни и танца. Уникальное культурное событие, существующее только в странах Балтии, занесено в список наследия UNESCO.

136 стр.

Участников Праздника приветствует президент Латвии Валдис Затлерс (на верхнем снимке).

138 стр.

Один из дирижёров Праздника песни и танца, художественный руководитель всемирно известного хора "Kamēr" Марис Сирмайс (на верхнем снимке).

142 стр.

Солнечный камень. В панораму левобережья Риги вписалось высотное здание *Hansabanka.*

143 стр.

Панорама Риги, как и в древности, немыслима без кораблей.

144 стр.

Железнодорожный мост в ночи.

FOTOGRĀFI

Valdis Brauns	22, 58, 74.1, 76, 84, 89.4, 104, 122, 123, 125, 140, 143
Uldis Briedis	34, 77
Juris Kalniņš *(Fotocentrs)*	5, 23, 26, 27, 28, 30, 33.2, 44, 47, 56.1, 57, 68, 70, 72, 87, 88, 89.3, 91, 93, 94, 96, 100, 110.1, 114, 117, 118, 119, 120, 136, 137, 138.2, 139
Arnis Kalniņš *(Fotocentrs)*	138.1
Ainars Meiers	29, 35, 36, 37, 46, 69, 71, 99, 107, 113, 128, 129
Romvalds Salcēvičs	17, 18, 21, 24, 25, 32, 33.1, 38, 40, 41, 42, 43, 48, 49, 50, 51, 52, 53, 54, 55, 56.2, 59, 60, 61, 62, 63, 64, 65, 66, 67, 73, 74.2, 75, 78, 79, 80, 81, 82, 85, 86, 89.1, 89.2, 90, 92, 95, 97, 98, 102, 103, 105, 106, 108, 109, 110.2, 110.3, 110.4, 111, 112, 116, 124, 126, 127, 130, 131, 132, 133, 134, 135, 142, 144

© Izdevējs: SIA "LKC"
Dzirnavu iela 135, Rīga, LV 1050
Tālr.: +371 67211602, +371 67280090

Sastādītājs: Aivars Bērziņš
Dizains: Ģirts Kiršteins
Datorgrafika: Silvestrs Ūsiņš, Anta Ūsiņa

Teksti:
Aivars Bērziņš (latviešu valoda),
Māra Rūmniece (angļu valoda),
Andrejs Rudzītis (vācu valoda),
Signe Krilova, Philippe Masson (franču valoda),
Dainis Jukonis (krievu valoda).

Iespiests: SIA "Talsu tipogrāfija"

ISBN 9984-9276-9-5